D0521898

Ranger Never nooit!

Dit boek is fictioneel. Namen, personages, plaatsen en gebeurtenissen zijn een product van de fantasie van de auteur, of zijn fictioneel gebruikt. Iedere overeenkomst met ware gebeurtenissen, plaatsen of personen (levend of dood) berust op toeval.

Copyright © 2007 bij Uitgeverij De Eekhoorn BV, Oud-Beijerland

CIP-gegevens Koninklijke Bibliotheek, Den Haag

Kan Hemmink, Henriëtte

Ranger: never nooit! / Henriëtte Kan Hemmink
Internet: www.eekhoorn.com
Illustraties: Will Zeeman
Vormgeving: Bureau Maes & Zeijlstra, Oosterbeek
Eindredactie: YDee Media, Amsterdam

ISBN: 978-90-454-1128-6
NUR 282

Ranger Never nooit!

Henriëtte Kan Hemmink

Illustraties
Will Zeeman

 De Eekhoorn

INHOUD

Hoofdstuk 1

DROOM

Luuk zet zijn kraag op om zijn nek tegen de gure wind te beschermen.

Hij huivert. Met een vreemde blik in de ogen kijkt hij naar de grijze hemel. De stilte is grimmig en duurt te lang. Hij voelt de angst omhoog komen.

Hij draait zijn hoofd opzij en kijkt naar Sem en Rosemijn.

Wat willen ze van hem?

Ze staan tegenover hem. Wijdbeens en met de handen nonchalant in de zakken gestoken.

Ranger, de herdershond, staat midden tussen hen in.

De harde wind blaast langzaam het dunne wolkendek boven Steindorp weg. De maan, die nachtenlang onzichtbaar was, werpt een spookachtig licht over de eenzame weg.

'Ik wil het weten,' fluistert hij.

Rosemijn snuift minachtend. 'Stel je niet aan.'

'Ik stel me niet aan.'

'Je merkt het vanzelf.'

Ze staan in het schemerdonker naast een hoge, met klimop overwoekerde muur.

Luuk kijkt vragend naar Sem. Waarom zegt hij niets?

De herdershond blaft onrustig.

'Koest,' commandeert Rosemijn.

'Die mensen achter de muur schrikken er niet van wakker,' grijnst Sem.

Luuk probeert te glimlachen.

De hond wil tegen Luuk opspringen maar Sem trekt hem resoluut naar achteren.

'Wat zijn jullie van plan?'

Sem maakt een hoofdbeweging richting het kerkhof. 'Dat hoor je als we er zijn.'

Sem geeft Luuk een duw in de rug. 'Doorlopen!'

'Daar ga ik niet naartoe. Ik vertrouw jullie niet.'

'Dat is jouw probleem.'

Luuk blijft roerloos staan. Hij laat zich nergens naartoe sturen. Wat denken ze wel?

'Vertrouw je ons niet?' vraagt Rosemijn poeslief. 'Ben je achterdochtig?'

'Vind je het gek?'

'We zijn toch vrienden?'

'O ja?' Luuk klinkt fel.

Rosemijn lacht schril en aait Ranger over zijn kop. 'Kom.' Ze loopt met Sem naar de ijzeren poort.

Zonder dat Luuk het wil, loopt hij achter hen aan. Hij wil niet alleen achterblijven in de beklemmende duisternis.

De poort is dicht. Sem rammelt aan het roestige slot. 'Shit!'

'Na zonsondergang mag niemand op het kerkhof komen,' mompelt Luuk.

'Alsof ik dat niet weet!'

'Dat wordt klimmen,' zegt Rosemijn.

'En Ranger?' vraagt Sem. 'Het hek is te hoog. Daar kan hij niet overheen springen.'

'We kunnen hem er wel overheen tillen.'

Luuk zwijgt en kijkt naar Sem en Rosemijn. Ze slagen er met veel moeite in om Ranger aan de andere kant te krijgen.

'Nu jij,' zegt Sem.

'Waarom?'

'Om je te bewijzen.'

Luuk houdt zijn adem in. Wat bedoelen ze?

'Nou! Klim dan!' roept Rosemijn.

Is dit een complot? Luuk voelt zich de hoofdrolspeler in een horrorfilm. 'Wat moet ik bewijzen?'

'Of jij het waard bent onze vriend te zijn.'

Luuk voelt zich verstrakken. 'Als jullie twijfelen, kun je dat gewoon zeggen.'

'Dat is wel duidelijk,' antwoordt Rosemijn. 'Wij twijfelen!'

'Ik hoef jullie vriend niet te zijn.'

Sem pakt hem lachend vast. 'Je moet je toch bewijzen.'

'Rot op!' sist Luuk en slaat met zijn arm naar achteren.

'Klimmen!' commandeert Sem.

Luuk wil wegrennen, maar waar kan hij heen? Hij weet dat hij geen keus heeft. Hij wurmt de neus van zijn schoen tussen twee ijzeren spijlen van het hek en zet af.

Ranger zet zijn voorpoten tegen Luuks borst zodra hij op de grond belandt. Luuk woelt door de warme vacht van de herdershond en fluistert in Rangers oor: 'Jij bent een echte vriend.' Dan voelt hij een golf van verbijstering door zich heen gaan. Waarom zijn Sem en Rosemijn niet bang? Waarom lijkt het alsof het voor hen doodnormaal is om 's avonds op een griezelige begraafplaats rond te lopen?

Het tweetal klimt snel over het hek. Sem draait het uiteinde van Rangers riem een paar keer om zijn hand en loopt als eerste de donkere begraafplaats op. Kiezelsteentjes knerpen onder zijn schoenen.

Luuk gluurt naar de grafstenen en voelt een golf van misselijkheid opkomen wanneer de zompige lucht van omgewoelde aarde zijn neusgaten binnendringt. Een stemmetje in zijn hoofd waarschuwt hem, maar Luuk durft niet om te keren. Hij volgt Sem en Rosemijn, om zich te bewijzen; een leven zonder vriendschap is geen leven.

Ze willen me dumpen, spookt het door Luuks hoofd.

'Hier is het,' zegt Sem en wijst naar een donker gat tussen twee oude graven.

Luuk durft niet te kijken en richt zijn ogen op de naam die in de grafzerk naast het lege graf is gebeiteld: *Huub Groenewoud*.

'Dit graf is geruimd. Morgen laten ze een nieuwe doodskist in het gat zakken,' vertelt Sem. 'Maar voordat dat gebeurt, willen we dat jij de rest van de nacht in dit graf gaat liggen.'

'Als je dat doet,' zegt Rosemijn, 'ben je onze vriendschap waard.'

Lijkbleek staat Luuk aan de rand van het pas gegraven graf. Onbeweeglijk, als een standbeeld. Het stemmetje in zijn hoofd schreeuwt dat hij het niet moet doen, maar Luuk laat langzaam door zijn knieën zakken.

Rosemijn en Sem kijken glimlachend op hem neer.

Hoofdstuk 2

TEGEN HEM

Ergens in een hoek van het klaslokaal zoemt een vlieg achter de luxaflex. Het beestje is in paniek omdat er geen kansen zijn om te ontsnappen.

Er zijn altijd kansen, denkt Luuk, als je maar slim bent.

De meester legt een redactiesom uit. Het boeit Luuk niet. Zijn gezicht ziet grauw, omdat hij te weinig geslapen heeft. Die afschuwelijke droom laat hem niet los.

Toen hij vannacht badend in het zweet wakker werd, klonk in de kamer naast hem gestommel. Marijke Verhoeff, zijn moeder, sprong uit bed en duwde zijn kamerdeur zachtjes open.

'Wat is er? Waarom schreeuw je zo?'

Luuk zweeg.

'Heb je gedroomd?' vroeg ze.

'Schreeuwde ik dan?'

'Nogal! Je hebt dus gedroomd?'

'Ja,' antwoordde hij nors. Hij wilde er niet over praten. De angst gierde door zijn lijf. Wanneer hij zijn ogen dichtdeed, voelde hij de zwarte aarde van het gedolven graf tegen zijn schouders drukken en rook hij de vochtige grond.

'Een akelige droom?'

'Ik droom altijd akelig.'

Marijke knipte het bedlampje aan. Ze zat op de rand van zijn bed. Haar hand zocht zijn schouder om te troosten.

'Niet doen,' reageerde hij fel. Hij wilde niet aangeraakt worden. Dat wist ze toch?

'Dromen die je bang maken, duiden meestal op gevoelens of situaties die je moet verwerken.'

'Heb je weer zo'n vrouwenblad gelezen?'

'In dromen verwerken mensen vaak hun angsten.' Marijke liet zich niet uit het veld slaan door zijn onverschillige reactie en praatte gewoon door.

'Ik heb geen zin in dat psychologische gepraat.'

Marijke gaf hem een glas water en liep de kamer weer uit. In de deuropening draaide ze zich om. 'Als de droom terugkomt, mag je me wakker maken.'

Luuk trok zijn dekbed over zich heen. De rest van de nacht bleef hij wakker. En sindsdien herhaalt de gebeurtenis bij de begraafplaats zich achter zijn oogleden; als een film die non-stop blijft draaien.

De droom speelde zich af op de begraafplaats van Steindorp, dat weet hij zeker. Was het een voorspellende droom? Er zijn mensen die in de toekomst kunnen kijken. Ze zien beelden of dromen over gebeurtenissen die later echt gebeuren.

Luuk huivert. Hij schuift naar het puntje van zijn stoel. Zijn blik dwaalt door de klas. Harm, Isa, Daan, Kristel, Jesse... Sem en Rosemijn!

Samen met hen mag Luuk voor Ranger zorgen. Luuk was degene die de herdershond in de kelder van een leegstaande villa ontdekte en bevrijd heeft. Maar Sem en Rosemijn zaten, zonder dat Luuk het wist, achter dezelfde man aan. Bijna tegelijkertijd ontdekten ze Ranger.

Luuk vond het dier vreselijk zielig.

De eigenaar van Ranger – die eigenlijk Remo heet – was door omstandigheden gedwongen tijdelijk onderdak voor de herdershond te regelen. Hij kon de hond onderbrengen bij zijn bejaarde moeder, maar die belandde plotseling in het ziekenhuis. De man die adverteerde met zijn dierenhotel, bleek ach-

12

teraf een oplichter te zijn. In ruil voor heel veel geld legde hij Ranger aan de ketting in een donkere kelder.*

Omdat Sem, Rosemijn en Luuk de schuilplaats van Ranger ontdekt hebben, mogen ze nu tijdelijk voor hem zorgen. Maar omdat het niet handig is om de hond steeds een paar dagen bij een ander te laten logeren, hebben ze besloten een vaste plek voor Ranger te regelen. Het is de schuur in de grote achtertuin van Sem Kramer geworden.

Ze hebben de schuur gezellig ingericht met allerlei meubels. En de schuur heeft zelfs een naam gekregen: *Villa Ranger.*

Eigenlijk zou Luuk de prachtige herdershond het liefst voor zich alleen willen hebben. Hij heeft nooit een echte vriend gehad. Ranger is zijn beste en enige vriend! Hij is trouw, dapper, luistert goed en gaat voor Luuk door het vuur. Luuk vindt het maar moeilijk om Ranger te moeten delen met Rosemijn en Sem.

Het zoemen achter de luxaflex is gestopt.

Luuk staart naar het opengeslagen schrift op zijn tafel en beseft dat de droom hem op de een of andere manier onzeker heeft gemaakt. Moet hij de droom als een waarschuwing opvatten? Luuk haalt diep adem en gaat rechtop zitten.

Opeens ziet hij dat Rosemijn zich naar voren buigt. Ze tikt op Sems rug. Sem kijkt vragend achterom. Rosemijn laat een opgevouwen briefje zien. Sem knikt, schuift zijn stoel iets naar achteren en grist het behendig uit haar hand.

De meester staat met zijn rug naar de klas en ziet niets.

Luuk voelt een steek van jaloezie door zich heen gaan. Die twee kunnen het goed met elkaar vinden.

Sem is altijd al het lieverdje van de klas geweest; de aardige, behulpzame jongen met een kop vol krullen. De meisjes vinden hem geweldig.

---

* Lees Ranger deel 1 – *Wat nu?*

Zelf heeft Luuk rossig haar en een smal gezicht met sproeten. De meisjes zien hem niet staan. Luuk weet dat hij nooit een zwerm aanbidsters om zich heen zal krijgen, zoals dat bij Sem wel gebeurt. Sem hoeft zich niet uit te sloven, hij krijgt aandacht genoeg.

Toen Rosemijn als 'nieuwe' in groep acht kwam, dacht Luuk dat zij anders was. Geen meeloper, maar iemand die durft te laten zien wie ze is. Eigenlijk verwachtte hij dat ze Sem links zou laten liggen. Maar dat gebeurde niet. Rosemijn is in Sem geïnteresseerd en niet in hem, net als de andere meisjes uit groep acht. Dat was zijn zoveelste teleurstelling.

Wat er ook gebeurt, hij zal Ranger nooit laten schieten. Ranger is zijn 'alles' geworden. Dat pakt niemand hem af. Luuk heeft een beetje het vermoeden dat het tweetal met hem in de maag zit. Jammer voor ze, denkt hij, maar hij heeft net zoveel recht op Ranger als zij.

De droom was er om hem te waarschuwen. Hij weet het zeker.

'Stomme liefdesbriefjes,' schampert hij binnensmonds.

'Ergens last van?' vraagt Kristel.

'Van jou,' snauwt Luuk en kauwt op het uiteinde van zijn pen. Ondertussen houdt hij Sem en Rosemijn nauwlettend in de gaten.

Sem laat zijn ogen snel over de woorden gaan. Hij draait zich glimlachend om en wijst vragend met zijn duim in Luuks richting.

Rosemijn knikt instemmend.

Luuk krijgt een kleur op zijn wangen. Zijn achterdocht neemt toe en het stemmetje in zijn hoofd begint opnieuw. 'Oppassen, Luuk. Ze willen van je af.'

De rest van de les is Luuk er niet met zijn gedachten bij en hij bedenkt allerlei plannetjes om het tweetal niet de kans te geven hem buitenspel te zetten. Hij zal er alles aan doen om Ranger in zijn buurt te houden.

Dan gaat de bel.

Luuk staat als eerste buiten, grist zijn jas van de kapstok en stelt zich verdekt op in de hal.

'Die heeft haast,' zegt Sem verbaasd.

'Zou hij ergens naartoe moeten?'

'Dat zou mooi zijn.' Sem grinnikt. 'Misschien gaat hij eerst naar zijn moeder. Die zal wel aan het werk zijn in *De Herberg van oom Teun*.'

Rosemijn ritst haar jas dicht. 'Zullen we het doen?'

'Ja, is goed.'

'Hij mag het niet weten.'

'Nee, dat snap ik,' grijnst Sem.

Luuk drukt zich tegen de muur, hij wil niet dat ze hem zien.

'Hoe gaan we het doen?' vraagt Rosemijn als ze naar buiten loopt.

Luuk voelt de tranen in zijn ogen prikken. Iedereen is altijd tegen hem.

Hoofdstuk 3

ONMOGELIJK

Om de anderen een voorsprong te geven, wacht Luuk een paar seconden. Dan holt hij over het plein richting het fietsenhok. Rosemijn en Sem draaien zich verbouwereerd om als ze zijn voetstappen horen.

'Ik dacht dat je 'm al gesmeerd was,' mompelt Sem.

'Hoezo?'

'Je was zo snel de klas uit.'

'Hoge nood.'

Sem en Rosemijn kijken elkaar snel even aan.

'Gaan we naar de oude villa?' vraagt Luuk.

Rosemijn schudt haar goudblonde haar naar achteren. 'Vanmiddag niet.'

'Ik moet weg,' mompelt Sem zonder Luuk aan te kijken.

'Maar we hadden afgesproken om met Ranger naar de villa te gaan.' Luuks ogen vonken. 'Afspraak is afspraak.'

'Er is iets tussengekomen,' vertelt Rosemijn onverschillig. 'Mijn moeder heeft gevraagd of ik na schooltijd een uurtje op mijn zusje wil passen. Ze moet plotseling weg.'

'En ik heb een afspraak bij de tandarts. Controle!' Sem kijkt op zijn horloge. 'Misschien morgen?'

Boos trekt Luuk zijn fiets uit het rek. 'Morgen verzinnen jullie weer een andere smoes!'

'Die villa staat er volgende week ook nog wel,' snauwt Rosemijn.

Luuk kijkt haar aan. 'Jullie liegen.'

16

'Liegen? Krijgen we nu dat weer?' Rosemijn zucht.

'Jullie doen maar. Ik ga wél naar Ranger,' zegt Luuk.

Rosemijn geeft Sem onopvallend een duw.

'Mijn ouders vinden het handiger als we tegelijk afspreken,' vertelt Sem. 'Ze hebben liever niet dat er steeds iemand komt.'

Luuk is perplex. Hij zou het liefst tegen ze willen schreeuwen, maar hij houdt wijselijk zijn mond. Met een blik vol minachting bekijkt hij Sem en Rosemijn van top tot teen. Daar staan ze, zijn 'vrienden'...

'Omdat jullie geen tijd hebben, zou ik niet naar Ranger mogen?' Hij klinkt dreigend. 'Dan haal ik Ranger toch op en neem hem mee naar míjn huis.'

'Doe niet zo moeilijk,' mompelt Sem. 'Kom om vijf uur. Dan ben ik klaar bij de tandarts.'

'Dan kan ik er ook zijn,' zegt Rosemijn snel.

'Afgesproken,' zegt Luuk met tegenzin en springt op zijn fiets. 'Vijf uur!'

'Sorry!' roept Sem hem na.

'Denk maar niet dat ik achterlijk ben,' sist Luuk binnensmonds. 'Stelletje leugenaars.'

Hij spurt de straat uit, maar is niet van plan om naar huis te gaan. In een leeg huis heeft hij niets te zoeken.

Luuk heeft een werkende moeder. Als hij uit school komt, begint zij meestal met haar werk in *De Herberg van oom Teun*. Dat is allesbehalve gezellig, maar Luuk moet het accepteren.

Natuurlijk begrijpt hij dat zijn moeder moeten werken om geld te verdienen. Ze hebben het niet breed. Luuk zeurt al een tijd om een snellere computer, maar zijn moeder roept steevast: 'Wij zijn van de firma Krap bij Kas, dus die snelle computer kun je op je buik schrijven!'

Luuk zou wel een baantje willen bij een supermarkt, maar daar is hij nog te jong voor. Hij wordt binnenkort twaalf.

Luuk wil graag bij Ranger zijn! Samen met de hond spelen. Bij Ranger voelt hij zich gelukkig. Maar blijkbaar hangt zijn geluk af van Rosemijn en Sem en dat zint hem niet!

Toen Luuk een baby was, ging zijn vader ervandoor. De beste man had geen zin om zich verantwoordelijk te voelen voor een baby. Het is een afschuwelijke gedachte om door je eigen vader in de steek te zijn gelaten. De slappeling! Zijn moeder draait overal alleen voor op. Een rotstreek!

Marijke, zijn moeder, zegt dat ze van hem houdt, maar dat gelooft Luuk niet. Want op het moment dat hij geboren werd, begon er voor haar een ellendige tijd. Dat heeft ze dus aan hem te danken.

Omdat Luuk geen echte vrienden heeft, moet hij zich na schooltijd vaak alleen vermaken. Zijn moeder wil graag dat hij naar De Herberg komt, zodat ze een oogje in het zeil kan houden. Ze is bang dat Luuk verkeerde vrienden tegen zal komen en dingen zal gaan doen die het daglicht niet kunnen verdragen Daarom heeft zij ervoor gezorgd dat hij in een kamertje van het hotel televisie kan kijken. Maar Luuk heeft geen zin om in zijn uppie tussen opgestapelde stoelen en tafels tv-series te volgen.

Hij wil graag een huisdier. Het liefst een hond. Maar zijn moeder is geen dierenvriend. Zij ziet alleen de negatieve kanten.

'Dieren brengen zorg en veel rommel met zich mee.'

'Hoezo rommel?' vroeg hij.

'Honden stuiven met modderpoten door het hele huis, ploffen languit op de bank, gooien dingen om en verharen afschuwelijk. Katten krabben het behang en de meubels stuk. Je kunt hoog of laag springen, maar ik wil geen huisdier. Bovendien kost een huisdier geld. Niet alleen de verzorging, maar ook bijvoorbeeld de dierenarts. Je weet dat ik het geld daar niet voor heb. Toen jouw vader wegging, bleek dat hij veel schulden had gemaakt. Daar moest ik voor opdraaien. Nu hebben we na al die jaren ploeteren een groter huis kunnen huren en is mijn spaargeld op.'

Luuk baalt dat hij zijn moeder niet kan overtuigen dat een huisdier ook een vriend kan zijn. Een vriend voor Luuk om mee te spelen, zodat hij zich dan nooit meer eenzaam zal voelen. Maar zijn moeder kijkt alleen naar de kosten en de eventuele overlast die een huisdier zou kunnen geven.

'Ik ken jou al elf jaar,' zei Marijke, 'en weet dat jij steeds nieuwe dingen wil. Na een paar weken is de lol ervan af en dan kijk je er niet meer naar om. Zo gaat het altijd.'

'Dat is niet waar,' reageerde hij witheet.

'Denk maar eens goed na.'

Luuks moeder heeft gelijk. Hij is nooit tevreden met wat hij heeft. Maar een dier om voor te zorgen, dat is anders! Heel anders.

Diep in zijn hart hoopt Luuk dat de kans zich voordoet dat hij voor Ranger mag zorgen, dat hij voor altijd zijn baas mag zijn. Misschien kan hij iets verzinnen…?

Dat hij nu niet naar Ranger kan, zit hem behoorlijk dwars. Sem en Rosemijn zijn iets van plan en hij wordt erbuiten gehouden.

Luuk nadert het oude marktplein van Steindorp. De prachtige gerestaureerde herenhuizen geven het plein een middeleeuwse uitstraling. Naast de grote kerk staat de eeuwenoude *Herberg van oom Teun*.

Luuk besluit om toch maar niet naar De Herberg te gaan. Zijn moeder zal vragen waarom hij niet bij Ranger is. Tenslotte was dat de afspraak. Hij slaakt een zucht en fietst dezelfde weg weer terug.

Opeens stopt hij, hij heeft een plannetje bedacht. Hij fietst naar de oude begraafplaats aan de noordkant van Steindorp. Hij heeft er niets te zoeken, maar toch is hij nieuwsgierig.

Langzaam fietst hij langs de oude muur en ziet vanuit de verte dat het ijzeren hek wagenwijd openstaat. De parkeerplaats is leeg. Nergens is een auto of fiets te bekennen. Is hij de enige? Luuk duwt het voorwiel van zijn fiets in een rek en loopt de begraafplaats op. In zijn lijf broeit een vage opwinding. Stel je voor...

Hij ziet een man in een donkerblauwe overall naast een auto met aanhanger staan. Op de zijkant van de auto staat: *Onderhoud grafmonumenten.*

De man pakt zijn schop. Hij heeft Luuk zien staan. Zonder hem uit het oog te verliezen gaat hij door met zijn werk.

Luuk knikt onzeker en loopt met een omweg naar hem toe. 'Stil hier,' zegt hij.

'Daar ben ik aan gewend,' lacht de man terwijl hij Luuk onderzoekend opneemt. 'Kom je een graf bezoeken?'

Luuk schudt zijn hoofd. 'Ik ben hier nog nooit eerder geweest.'

'Aha, even rondneuzen,' knikt de man begrijpend. Hij leunt op zijn schop en kijkt de jongen peinzend na.

Luuk loopt wat doelloos rond totdat hij vlakbij de muur het grindpad uit zijn droom ziet. Dit kan niet waar zijn! Hij was nog nooit eerder op dit kerkhof en toch herkent hij het pad! Hier heeft hij in zijn droom gelopen. Een huivering glijdt over zijn rug.

Verderop staat de kastanjeboom. Ook die herinnert hij zich. De verbijstering slaat door hem heen.

'Dit kan niet.'

Tussen twee oude graven ligt een berg aarde.

Automatisch zet Luuk zijn ene voet voor de andere. Alsof iets hem richting dat geopende graf duwt. Hij durft niet in het gapende gat te kijken maar leest in plaats daarvan de naam op de steen aan de linkerkant van het graf.

'Krijg nou wat,' piept hij benauwd.

Hoofdstuk 4

SMOES

De rillingen lopen over Luuks rug. Was Ranger maar hier, denkt hij. Dan zou hij niet bang zijn.

Hij heeft geen idee hoe lang hij bij dat geopende graf staat. Tijd bestaat niet meer. Opeens voelt hij dat er iemand achter hem staat. Met een ruk draait hij zich om. Naast de kastanjeboom staat de man in de blauwe overall. De schop rust op zijn rechterschouder.

Luuk heeft hem niet horen aankomen. Was hij zo in gedachten verzonken?

'Laat ik je schrikken?' vraagt de man vriendelijk.

'Ja,' antwoordt Luuk en maakt een beweging met zijn hoofd naar het donkere gat. Hij doet een paar stappen naar achteren. De man lacht zachtjes. Luuk kijkt schuchter opzij en ziet hoe de man met een smerige hand over de baardstoppels op zijn kin raspt.

'Heeft u dat gedaan?'

'Dat is mijn taak: een gat graven voor een ander.' Zijn lach buldert over het kerkhof. 'Wat dacht je?'

'Niets.' Luuk haalt zijn schouders op.

'Je dacht dat het lijk tot leven was gekomen.'

'Ik ben niet zo onnozel als ik eruitzie,' grijnst Luuk. 'Hebt u dat gat met een schop gegraven?'

'Ben je gek! Daar heb ik een speciale graafmachine voor.'

De man legt uit dat de familie de grafrechten heeft verkocht en dat het graf geruimd moest worden. 'Nu kan daar iemand anders begraven worden.'

'Het lijkt me wel naargeestig om hier te werken.'

'Ach, het went.'

'Het zou niks voor mij zijn.'

'Ik wilde piloot worden. Dat was mijn grote droom. Maar toen overleed mijn vader en bleef mijn moeder achter met drie kinderen, een boerderij en vijftig stuks vee. Ik moest meewerken in het bedrijf. Dat was een logische stap. Mijn moeder vroeg of ik, als oudste van het gezin, het graf van mijn vader wilde verzorgen. Dat heb ik gedaan. Elke zaterdag. Ik ontmoette op het kerkhof allerlei mensen en zag met hoeveel liefde nabestaanden de graven van hun dierbaren onderhielden. Het is dankbaar werk.' Hij staart over de bomen naar de lucht. 'Wat wil jij later worden?'

'Geen piloot.'

'Het leven loopt altijd anders dan je denkt. Tot mijn zeventiende was ik ervan overtuigd dat mijn droom zou uitkomen.'

'Ik wil iets met dieren,' mompelt Luuk. 'Honden trainen.'

'Heb je zelf een hond?'

'Een herdershond.'

'Mooi,' mompelt de man.

'Ik ga weer. Ik heb het hier wel gezien.'

De man draait zich om en loopt samen met Luuk richting de uitgang.

'Hebt u dat graf vanmiddag geruimd?'

'Vanmiddag? Hoezo?'

'Dat vroeg ik me af.'

'Nee, gisteren,' antwoordt de man. 'Wil je weten waar de overblijfselen naartoe zijn gegaan?'

Luuk schudt verward zijn hoofd en denkt aan de droom.

Hoe is het mogelijk dat hij dit openliggende graf *gezien* heeft, zonder ooit een voet op deze begraafplaats te hebben gezet.

22

'Tot ziens,' zegt de man als Luuk bij de poort is.

'Ik denk niet dat ik terugkom.'

De man trekt een grimas.

Luuk kijkt naar het zwarte ijzeren hek en duwt in een opwelling de neus van zijn schoen tussen de spijlen. Hij past er precies tussen, net als in zijn droom. Schichtig kijkt hij over zijn schouder. De man staat met zijn rug naar hem toe. Luuk zet met zijn andere voet af en trekt zich aan zijn armen omhoog. Hij laat snel weer los en springt achterwaarts terug. Het klopt allemaal!

In gedachten verzonken verlaat hij het kerkhof en loopt langs de stenen muur. Op een krakkemikkig bankje gaat hij zitten om na te denken. Hij begrijpt er niets van.

Als hij koud wordt van het stilzitten, besluit hij naar het huis van de familie Kramer te fietsen.

Sems vader is huisarts, zijn moeder verloskundige. Hun gezamenlijke praktijk hebben ze aan huis. Sem woont met zijn ouders in een groot, statig huis met een enorme tuin. Aan het eind, dicht bij de sloot, staat een oude schuur die door de vorige bewoners gebouwd werd. Het is de bedoeling dat de schuur ooit plaats zal maken voor een modern tuinhuisje. Maar omdat de verbouwing steeds uitgesteld wordt, biedt de schuur tijdelijk onderdak aan Ranger.

Ferdinand Visser is de officiële eigenaar van Ranger. Hij reist momenteel over de wereld en het duurt nog even voordat hij naar Nederland terugkomt. De kinderen hebben hem nooit ontmoet.

Fien Visser, Ferdinands bejaarde moeder, zou tijdens de reis van haar zoon voor de hond zorgen. Ranger is een lieve gehoorzame hond. Hij weet dat Fien niet goed kan lopen en past zich aan wanneer hij naast de rollator uitgelaten wordt.

Ferdinand Visser was nog maar net vertrokken toen er iets

gebeurde waar niemand rekening mee had gehouden; Fien Visser brak haar heup en werd in een ambulance naar het ziekenhuis gebracht. Haar buurvrouw beloofde, zonder nadenken, dat ze voor Ranger zou zorgen. Maar ze vergat op dat moment dat zowel zij als haar man buitenshuis werken. Vanaf dat moment begonnen de problemen...

Als alles goed gaat mag Ranger bij Sem, Luuk en Rosemijn blijven tot Ferdinand terug is van zijn lange reis.

Marijke Verhoeff heeft haar zoon herhaaldelijk gewaarschuwd. 'Hoe blij je ook met Ranger bent, je mag nooit vergeten dat hij over een tijd teruggaat naar zijn eigen baas.'

'Dat zien we dan wel.'

Ze had haar hoofd geschud. 'Nee, daar moet je nu al over nadenken.'

Luuk vond de manier waarop zijn moeder reageerde niet leuk. 'Je moet niet je hoofd in het zand steken, Luuk! Hoe meer je om die hond geeft, hoe erger het straks wordt om afscheid te nemen.'

'Ik denk niet aan afscheid nemen,' mopperde hij.

Luuk weet dat zijn moeder hem wil beschermen tegen verdriet, daarom wrijft ze hem steeds onder de neus dat Ranger weer weg moet. Ze bedoelt het goed, maar de gedachte dat Ranger uit zijn leven zal verdwijnen doet zoveel pijn dat hij er juist niet aan wil denken.

Het is kwart voor vijf! In een hoog tempo fietst hij door het centrum van Steindorp. Plotseling ziet hij Sem en Rosemijn uit de steeg naast De Herberg komen fietsen. Verbijsterd tuurt hij het tweetal na. Langzaam komt er vanuit zijn buik een golf van woede omhoog. Nu weet hij zeker dat ze gelogen hebben. 'Zogenaamd oppassen en naar de tandarts,' mompelt hij. 'Stelletje leugenaars.'

Hij gaat op zijn pedalen staan om ze in te kunnen halen, maar bedenkt zich dan. Hij zal Sem en Rosemijn op de proef stellen! Hij fietst heel langzaam verder en zorgt ervoor dat hij iets na vijf uur bij het huis van Sem aankomt. Hij zet zijn fiets naast de praktijkruimte, opent het hek en loopt op zijn tenen naar de schuur. Hij hoort Sem en Rosemijn opgewonden met elkaar praten. Hij sluipt naar de deur en legt zijn oor ertegenaan. Hij kan bijna niet horen wat ze zeggen omdat Ranger voortdurend blaft.

'Hij mag niets merken' zegt Rosemijn.

'Dus zullen we moeten liegen.'

'Zolang hij niets doorheeft...'

Zie je wel! Ze hebben het over hem. Luuk duwt de deur open. Voordat hij iets kan zeggen, wordt hij begroet door Ranger. De hond springt enthousiast tegen hem op. Ze stoeien met elkaar en na een paar likken over zijn wang stuurt Luuk de hond naar de mand.

'Jullie zijn vroeg,' mompelt Luuk. 'Ik dacht dat ik de eerste zou zijn.'

'Ik hoefde niet op te passen,' vertelt Rosemijn. 'Mijn moeder hoefde toch niet weg.'

Luuk tilt zijn hoofd op en kijkt Sem aan. 'Viel het mee bij de tandarts?'

'Alleen een fluorbehandeling. Binnen tien minuten was ik klaar.'

'Ik zag jullie bij De Herberg fietsen.'

Luuks woorden slaan in als een bom.

'Klopt,' beaamt Sem schoorvoetend.

'We wilden jou ophalen,' antwoordt Rosemijn haastig. 'Maar je was er niet.'

Weer een smoes, denkt Luuk. Hij gooit zijn jas op een oude stoel in de hoek.

De spanning is om te snijden.

Hoofdstuk 5

KNETTER-KEES

'Klopt,' antwoordt Luuk gelaten. 'Ik ben niet naar De Herberg gegaan.'

Sem bukt om een fles cola van de grond te pakken. 'Wil je iets drinken?'

Luuk knikt. Hij heeft dorst. 'Gaan we naar het speelveld of naar de oude villa?'

'De villa?' Rosemijn schudt afkeurend met haar hoofd. 'Laten we dat een andere keer doen.'

'Je hoeft niet mee,' zegt Luuk.

Sem geeft hem een plastic bekertje met cola. Luuk drinkt het in een teug leeg en verfrommelt het bekertje. Met een boog gooit hij het in een oude emmer die als prullenbak dienst doet. Hij hurkt naast de hondenmand. Ranger wil opspringen, maar Luuk duwt hem zachtjes terug.

'Ik wil dat het anders geregeld wordt,' zegt Luuk zonder de andere twee aan te kijken. 'Ik heb geen zin om te moeten wachten totdat ik naar Ranger mag.'

'Dat kwam vanmiddag toevallig vervelend uit,' zucht Sem die geen zin heeft in een scène.

'Morgen spreken jullie iets anders af,' gaat Luuk verder, 'dan moet ik weer wachten. Ik wil niet van jullie afhankelijk zijn.'

Sem maakt een sussend gebaar. 'Ik heb het er met mijn ouders over gehad. Als ze van tevoren weten dat een van jullie komt, vinden ze dat geen probleem.'

Luuk kijkt Sem strak aan. 'Ik geloof het niet.'

'Wat niet?'

'Dat jij er met jouw ouders over gepraat hebt.'

'Wat maakt dat nou uit!' reageert Rosemijn kribbig. 'Het gaat erom dat het probleem is opgelost.'

Luuk aait Ranger over zijn kop. De hond knijpt zijn ogen samen, hij vindt het heerlijk om geaaid te worden.

'Moest je echt naar de tandarts?'

Sem staat met zijn handen in de zak bij de deur. 'Ja, ik moest echt naar de tandarts.'

'Jij denkt dat de hele wereld tegen je liegt. Je gelooft nooit iets!' moppert Rosemijn. 'Je kunt ons vertrouwen.'

Luuk gaat staan. Ranger ook.

'Never.'

'Never wat?'

'Jullie zijn niet te vertrouwen.'

Sem maakt een gebaar naar Rosemijn dat ze niet moet reageren. Maar Rosemijn ergert zich aan Luuks achterdocht. Ze pakt de hondenriem die op het tafeltje ligt. 'Kom, we gaan naar buiten! Ranger heeft lang genoeg op ons moeten wachten.'

Als Ranger het woord 'buiten' hoort, trekt hij een sprintje naar de deur. Rosemijn en Sem lopen langs Luuk, zonder hem een blik waardig te keuren. Dat doet pijn, maar Luuk laat niets merken.

'Toch wil ik het veranderen!' roept hij boos. 'Desnoods maken we een schema.'

'Zout op, man!' schreeuwt Rosemijn terug.

Luuk ziet dat Sem en Rosemijn met elkaar lopen te smoezen. Hij pakt zijn jas en duwt de schuurdeur met zijn voet dicht. Ranger wil niet doorlopen omdat Luuk achterblijft. Rosemijn rukt aan de riem, maar de hond is nauwelijks vooruit te krijgen. Luuk treuzelt met opzet.

Plotseling gaat de achterdeur van het woonhuis open. Sems moeder steekt haar hoofd naar buiten. 'Ik heb het overlegd.'

Luuk kan horen wat ze zegt.

Sem beduidt zijn moeder dat ze stil moet zijn. 'Hij kan je horen. Luuk staat in de tuin.'

Luuk hoort alles en versnelt zijn pas. Op het moment dat hij zijn mond opent om mevrouw Kramer te vertellen hoe hij over de bezoekregeling van Ranger denkt, duwt zij haastig de deur dicht. Het is duidelijk dat zij Luuk niet wil spreken. Ze spelen onder één hoedje.

'Als jullie maar niet denken dat ik over me heen laat lopen,' mompelt hij binnensmonds. 'Ranger is en blijft ook van mij.'

Rosemijn draait zich om en kijkt Luuk vriendelijk aan. 'Wil jij Ranger vasthouden?'

Luuk grist zonder iets te zeggen de riem uit haar hand.

'Nou zeg!'

Zwijgend lopen ze langs de praktijkruimte.

'We lijken wel een begrafenisstoet,' mompelt Rosemijn.

Luuk kijkt fronsend achterom.

Wat bedoel je?

'Kijk niet zo chagrijnig.' Rosemijn trekt met twee vingers haar mondhoeken omhoog. 'Weet je niet meer hoe het moet?'

'Zeur niet.'

'Ben je het lachen verleerd?'

Sem gaat naast Luuk lopen. 'Volgende week ben je jarig.'

'Ja, nou en?' Luuk is verbaasd. Op zijn moeder na heeft nooit iemand zich geïnteresseerd voor zijn verjaardag. Hoe weet Sem dat hij volgende week twaalf wordt?

'Mogen we komen?' grinnikt Rosemijn plagend.

'Stomme vraag.'

'Hoelang blijf je chagrijnig?' vraagt Sem.

'Tot half zes.'

Luuks antwoord klinkt zo komisch dat Rosemijn en Sem in de lach schieten.

Luuk haalt een tennisbal uit zijn jaszak en zegt dat hij Ranger wil laten rennen.

Uit een zijstraat klinkt lawaai. Een oudere man in een leren jas en met een witte pothelm op zijn hoofd knettert op een oud brommertje voorbij. Zijn jas wappert in de wind.

'Een opgevoerde snorfiets,' grapt Sem.

'Te gek!' mompelt Luuk. Zijn ogen volgen de man aandachtig. 'Gaaf brommertje.'

'Gaaf?' giert Rosemijn. 'Dat ding is een overblijfsel uit het prehistorische tijdperk.'

'Ja, daarom juist!'

'Een supersnelle, gestroomlijnde scooter is toch veel mooier?'

'Nee,' antwoordt Luuk. 'Oude bromfietsen en motoren vind ik interessanter.'

Rosemijn bestudeert Luuks gezicht en komt tot de conclusie dat hij serieus is.

'Ik heb oude techniek altijd mooi gevonden,' geeft Luuk mompelend toe.

'Van elektronica snap ik niks.'

Luuk vertelt dat hij vorig jaar een motorblokje van een brommer op zijn skelter heeft gemonteerd. 'Het werkte ook nog,' voegt hij er trots aan toe.

'Heb je die skelter nog?'

'Ja, maar dat motorblok heb ik er vanaf gesloopt. Het ding had geen trekkracht meer.'

Omdat Luuks humeur merkbaar verbeterd is, vraagt Rosemijn of hij van plan is zijn verjaardag te vieren. 'Je wordt maar een keer in je leven twaalf.'

'Wat zeur je nu over mijn verjaardag? Ik nodig nooit mensen uit.'

'Ook niet voor een klein feestje?' Rosemijn geeft hem een duw tegen zijn arm. 'Je hebt ons en Ranger.'

Luuk vermoedt dat Rosemijn hem wil overhalen om een verjaardagspartijtje te organiseren. Als hij toestemt zullen ze waarschijnlijk op het laatste moment afbellen omdat Sem naar de tandarts moet en Rosemijn beloofd heeft om op haar kleine zusje te passen. Hij is niet achterlijk!

Met onopvallende pesterijtjes proberen ze hem het gevoel te geven er niet bij te horen. Net zolang tot hij zal zeggen: jullie zoeken het maar uit, ik wil niets meer met jullie te maken hebben. En dan hebben ze Ranger voor zichzelf. Maar daar trapt Luuk niet in, hij zal Ranger nooit opgeven. Never, nooit!

'Sem en ik willen graag komen,' zeurt Rosemijn. 'Ranger komt natuurlijk ook mee.'

Luuk reageert niet. Hij rent met Ranger naar het speelveld en doet de riem af.

Luuk laat Ranger aan de bal ruiken. 'Let op!' zegt hij en gooit de bal ver weg.

Ranger vindt het heerlijk om met de kinderen te spelen. Om de beurt gooien ze de bal. Ranger lijkt onvermoeibaar.

Ondertussen is de sfeer al weer vrolijker geworden. Heel even denkt Luuk eraan om de andere twee in vertrouwen te nemen en te vertellen over de vreemde droom en zijn bezoek aan het kerkhof. Maar hij doet het niet.

De kans dat ze hem uitlachen is groot. Het is een vreemd verhaal. Ze zullen niet geloven dat hij in zijn dromen beelden gezien heeft van het kerkhof waar hij een dag later in werkelijkheid zou lopen. En dan die nare opdracht die ze hem gaven om zijn vriendschap te bewijzen...

Hij moet op zijn hoede zijn. Sem en Rosemijn voeren iets in hun schild.

'Zullen we teruggaan?' vraagt Luuk.

Sem en Rosemijn knikken. Het is bijna zes uur.

Luuk fluit op zijn vingers. Ranger rent meteen terug, legt de bal voor Luuks voeten en gaat hijgend naast hem op de grond zitten.

'Braaf!' glimlacht Luuk en gespt de riem aan de halsband.

In de verte klinkt het pruttelende geluid van de oude brommer.

Ranger spitst zijn oren.

'Knetter-Kees is op de terugweg!' grijnst Sem.

Hoofdstuk 6

ONTMOETING TUSSEN
OUD PAPIER

'Wat vreselijk sneu,' zegt Rosemijn wanneer ze de man op het vreemde brommertje ziet aankomen. 'Hij heeft vast geen geld om een moderne scooter te kopen.'

'Hij is zijn hele leven zuinig op die brommer geweest,' antwoordt Luuk. 'Wedden dat hij geld genoeg heeft om wel vijf spiksplinternieuwe scooters te kopen?'

'Ik wed van niet,' giechelt Rosemijn.

'Daar komt Knetter-Kees. Daar komt Knetter-Kees,' zingt Sem op een zelfverzonnen melodietje. 'Mafkees op knetterbrommer in de snelheidsrace! Knetter-Knetter-Kees! Knetter-Kees!'

Het stoort Luuk dat Sem de man op de oude brommer belachelijk maakt. Hij vindt het juist geweldig dat iemand op zo'n oud ding rondrijdt. De oude techniek van bromfietsen en motoren boeit hem.

De bestuurder van de brommer ziet de kinderen niet. Hij luistert naar het geluid van de motor. Blijkbaar klinkt er iets niet goed. Hij buigt zich voorover en werpt een snelle blik naar het motorblok. De leren jas van de man wappert alle kanten op.

'Het is geen gezicht,' lacht Rosemijn. 'Ik zou me rot schamen als mijn opa op zo'n aftands ding door Steindorp zou rijden.'

'Het is geen aftands ding,' valt Luuk uit. 'Die brommer is goed onderhouden.' Hij knijpt zijn ogen samen om de naderende bromfiets goed te bekijken.

Ranger vindt het geknetter van de bromfiets maar niks. Hij zet zich schrap.

De man tuurt strak voor zich uit. Plukken grijs haar pieken onder de witte helm uit. De man heeft een keurig geknipt grijs snorretje onder zijn neus. Het is een rare verschijning.

Luuk voelt een harde ruk aan zijn arm en voordat hij iets kan doen, schiet de riem uit zijn hand en Ranger rent de straat op.

'Hierrr!' brult Luuk.

Rosemijn slaat de handen voor haar mond.

'Ranger!' roept Sem tevergeefs.

De Duitse herder springt de weg op en gaat tegen de man tekeer. Zijn tanden blikkeren in het zonlicht. Het ziet er angstaanjagend uit.

'Grijp die hond!' roept de man geschrokken.

Luuk probeert zijn voet op de riem te zetten, maar Ranger is sneller. Hij draait rondjes om de brommer, zodat de man geen kant op kan.

De brommer slingert gevaarlijk.

'Ranger, niet doen!' schreeuwt Rosemijn in paniek.

De man steekt zijn been uit, om de hond op afstand te houden. Ranger springt ertegenaan, waardoor de man een zwieper krijgt en in plaats van af te remmen gas geeft. In volle vaart knalt hij de stoep op en rijdt over een tuinpad recht naar een garage waarvan de deuren wagenwijd openstaan.

Ranger wil erachteraan, maar Luuk kan hem nog net bij zijn nekvel grijpen. 'Af!' schreeuwt hij.

Geschrokken ziet het drietal hoe de man met zijn brommer in de garage verdwijnt en ergens achterin met veel kabaal tot stilstand komt.

'Shit.' Sem bijt op zijn onderlip.

'Wegwezen,' sist Luuk.

'Ben je gek?' Rosemijn staart hem een ogenblik verbouwereerd aan. 'Die man kan wel gewond zijn!'

Luuk maakt een onverschillig gebaar met zijn schouder. 'We

krijgen een hoop trammelant als we hier blijven.'
'We moeten hem helpen. Het is de schuld van Ranger.'
'Daarom.' Luuks ogen schieten van Sem naar Rosemijn. 'Voor
je het weet zegt de politie dat Ranger gevaarlijk is, omdat hij
mensen aanvalt. Dan zijn we hem kwijt.'
Er valt een korte stilte.
'Hij viel die man niet aan,' mompelt Sem.
'Die man schrok wel van Ranger.'
Sem duwt Luuk opzij en rent het pad op.
'Jij liet de riem los,' zegt Rosemijn dan.
'Dat deed ik niet expres!' reageert Luuk boos.
Sem blijft in de deuropening staan en tuurt naar binnen. 'Alles
goed?' vraagt hij voorzichtig.
Schoorvoetend volgt Luuk de anderen. Hij houdt Ranger voor
de zekerheid maar aan zijn halsband vast. Het geknetter van de
brommer is ondertussen opgehouden.
'Meneer?' vraagt Rosemijn bezorgd.
Ranger blaft.
'Bek dicht!' brult Luuk die na Rosemijn de schuur binnenstapt.
'Lig!'
Ranger laat zich na een lichte aarzeling zakken, maar verliest
de donkere gedaante achter in de garage niet uit het oog.
De man schuift wat dozen en lege verfblikken opzij, krabbelt
overeind en zet zijn brommertje rechtop.
'Het spijt ons,' begint Sem.
De man duwt de brommer achteruit richting de deuropening.
Zijn helm is helemaal scheef gezakt. Het ziet er vreemd uit.
'Hebt u niets gebroken?' vraagt Rosemijn.
Hij voert een snelle inspectie uit. 'Gelukkig! Mijn brommer is
er zonder kleerscheuren van afgekomen.'
'En u? Hebt u niets gebroken?' Ze kan met moeite haar lach
inhouden.

'Ik kwam tot stilstand tegen die dozen met oud papier. Dat heeft mijn val gebroken. Ik ben een taaie.' Plotseling begint hij onbedaarlijk te lachen. 'Wat een komische situatie. Als mijn vrouw dit hoort...'

Luuk haalt opgelucht adem als de man lacht. Hij biedt zijn verontschuldiging aan. 'Onze hond was bang voor het geluid van uw brommer.'

De man trekt zijn leren motorwanten uit, zet de helm recht op zijn hoofd en kijkt Ranger peinzend aan. 'Ik zie het al: dat is geen discohond.'

'Nee,' beaamt Luuk. 'Ranger is Duitse herder.'

Op het gezicht van de man verschijnt een glimlach. 'Nooit van een discohond gehoord?'

'Nee,' antwoordt Luuk onzeker. Wordt hij in de maling genomen?

'Discohonden trekken zich niets aan van een beetje herrie. Die zijn harde discomuziek gewend.'

'Een beetje herrie?' herhaalt Sem lachend. 'Dat kleine brommertje produceert een heleboel decibellen. Daar is een straaljager die door de geluidsbarrière breekt niets bij.'

'Dat noem ik nog eens overdrijven!' De man legt zijn wanten op het zadel en loopt langzaam naar Ranger die hem nauwlettend in de gaten houdt. De leren jaspanden maken een vreemd schurend geluid. Ranger springt overeind.

'Blijf!' commandeert Luuk en houdt Ranger vast.

'Dag ouwe makker,' zegt de man vriendelijk en strijkt voorzichtig met zijn hand over Rangers kop. 'Heb ik je aan het schrikken gemaakt?'

Ranger ligt doodstil. Luuk heeft geen idee hoe Ranger zal reageren en houdt alles goed in de gaten.

'Ranger wilde ons beschermen,' verklaart Luuk. 'Daarom ging hij zo tegen u tekeer.'

'Zo hoort het,' knikt de man. 'Ik zie er niet uit in deze kleding. En dan die rotherrie! Logisch dat die hond zo heftig reageert.'
'Het was niet de schuld van Ranger, hè?' mompelt Luuk binnensmonds.
'Welnee. Het was alleen maar een stuurfout van mij.'
Ranger snuffelt aan de leren jas.
'Goed volk,' stelt Sem hem gerust.
De bestuurder van de bromfiets vertelt dat hij vandaag zijn eerste proefritje aan het maken is.
'Proefrit?' Rosemijn is stomverbaasd. 'Op zo'n oude brommer?'
'Deze oldtimer is een pronkstuk uit mijn verzameling. Een museumstuk!'
Rosemijn trekt een gezicht alsof ze het niet gelooft.
'Wat gaaf!' zegt Luuk bewonderend.
'Toen ik zo oud was als jullie, was ik al geïnteresseerd in brommers en motoren,' vertelt de man enthousiast. 'Ik heb zelfs nog een tijdje met crosswedstrijden meegedaan. Nu heb ik een klein privémuseumpje. Dit is een Berini M21! Bouwjaar 1960. Eigenhandig gerestaureerd,' vertelt hij trots.
Ranger spitst zijn oren. Hij hoort als enige de voetstappen die richting de garage komen. Er verschijnt een vrouw in de deuropening. Ze staart perplex naar het groepje mensen in haar garage. Ranger begint gevaarlijk te grommen.
'Koest,' commandeert Luuk.
Het gezicht van de vrouw betrekt als ze de ravage in de schuur ziet. Overal liggen blikken en omgevallen dozen. 'Wat is hier aan de hand?!' roept ze uit. 'Wat doen jullie in mijn garage?'
De man knikt vriendelijk naar de vrouw als hij zijn Berini M21 naar buiten duwt. De kinderen lopen zwijgend met hem mee. De vrouw kijkt verbaasd naar de kleding van de man en even lijkt het erop dat ze hen wil tegenhouden. Als Ranger venijnig

blaft, stapt ze haastig opzij.

'Mevrouw, dit alles berust op een vervelend misverstand,' zegt de man met de brommer. 'We zijn van de Oud Papier Centrale en halen oud papier op bij mensen thuis. U hebt echter zoveel, dat ik zojuist een van onze medewerkers telefonisch heb ingelicht. Vandaag nog komt er speciaal iemand met een grote aanhanger bij u langs. Dat beloof ik u!'

Hoofdstuk 7

GEEN HAAST

'Waar hebt u het over?' stamelt de vrouw verbouwereerd. 'Wie zijn jullie eigenlijk?'

'Medewerkers van de Oud Papier Centrale,' antwoordt de man. Hij tilt een jaspand omhoog, zwaait zijn been over de bagagedrager van de Berini en ploft op het zadel.

'Wat is uw naam?'

Ranger wordt onrustig en trekt aan de riem. De vrouw houdt hem vanuit een ooghoek in de gaten. Zo te zien is ze bang voor Ranger.

'Gerard van Zanten. Maar de meeste mensen noemen mij "Gerard, de oud-ijzerboer"!' Hij schenkt de vrouw een vriendelijke glimlach. 'We gaan ervandoor, mevrouw. Er is nog een heleboel werk te doen. Aan het begin van de avond komt een aanhanger langs voor het oud papier.'

'Ik heb niemand opdracht gegeven om die dozen uit de garage weg te halen.'

'Nee?' Gerard van Zanten neemt haar verbaasd op. 'We vonden het ook al zo raar dat de dozen niet aan de weg stonden, maar in de garage. Kan het zijn dat uw man de centrale heeft gebeld?'

De vrouw schudt haar hoofd. 'Ik wil helemaal niks met die Oud Papier Centrale van u te maken hebben. Ze hoeven niet langs te komen. Mijn man brengt het papier altijd naar een container bij de school.' Zonder te groeten loopt ze naar de garage terug.

'Excuses, mevrouw!' roept Van Zanten. 'Het moet een misverstand zijn.'

'Ze denkt vast dat wij een groepje criminelen zijn die op slinkse wijze proberen spullen uit haar garage te stelen,' meent Luuk.

'Waarom hebt u haar niet de waarheid verteld?' grinnikt Rosemijn.

'De waarheid?' Hij plukt nadenkend aan zijn grijze snor. 'Ik weet zeker dat ze de waarheid niet geloofd zou hebben. Iemand van mijn leeftijd op een oude brommer die door een ernstige stuurfout haar garage binnenrijdt... Dat is toch te gek voor woorden!'

Sem, Rosemijn en Luuk moeten lachen.

'Vroeger wilde ik stuntman worden,' beweert Van Zanten ernstig.

'Wauw!' roept Luuk. 'Is uw droom uitgekomen?'

'Niet echt. Veel dingen durfde ik niet. Ik crosste op een motor, sprong over obstakels en scheurde door het water. Dat ging me goed af. Maar toen ik uit een vliegtuig moest springen en een steile wand moest beklimmen, ben ik gestopt. Waarschijnlijk is er aan mij wel een talent verloren gegaan.'

'Ja, zoals u met hoge snelheid die garage binnenreed! Dat was geweldig! Dat doet geen enkele stuntman u na,' grijnst Sem.

Van Zanten knikt treurig. 'Tja, het ziet er naar uit dat ik mijn roeping ben misgelopen! In plaats van stuntman ben ik adjunct-directeur van de Oud Papier Centrale geworden!' Hij trekt het riempje onder zijn kin strakker en wurmt zijn handen in de leren wanten.

Ranger zit rustig naast Luuk op het trottoir. Luuk zegt niet veel. Vol aandacht kijkt hij naar de brommer. Had hij maar zo'n ding waarmee hij door het bos kon crossen. Wat zou het geweldig zijn om op een afgelegen plek een eigen crossterrein te hebben. Geld om een crossbrommertje te kopen heeft hij niet en van zijn moeder zal hij daarvoor nooit toestemming krijgen. Hij wil graag een keer bij Van Zanten op bezoek om zijn privéverzameling te bekijken. Luuk aarzelt. Hij durft het niet te vragen. Onopvallend kijkt hij naar Sem en Rosemijn.

Sem heeft alles wat zijn hart begeert: een leuke kop met donkere krullen, een groot huis met een enorme tuin, een moeder én een vader die allebei veel geld verdienen. Alles kan, alles mag.

De situatie voor Rosemijn is anders, ze heeft een zusje met het syndroom van Down. Haar ouders besteden veel aandacht aan de kleine Wendy, omdat ze vaak ziek is. Rosemijn heeft er best moeite mee. Zij voelt zich te vaak aan haar lot overgelaten.

Hoe dan ook, denkt Luuk, Sem en Rosemijn hebben een vader. Hij niet! Dat maakt alles anders.

Zij hebben meer dan hij ooit zal hebben.

Zo'n crossbrommer zou wel wat voor hem zijn. Straks moet hij afscheid nemen van Ranger. Daar slaapt hij nu al slecht van. Ranger betekent alles voor hem. Ranger is een vriend die alles begrijpt en hem eeuwige trouw heeft beloofd. Dat ziet hij wanneer hij in Rangers ogen kijkt. Zijn allerbeste vriend zal hij kwijtraken...

'Meneer?' vraagt Luuk aarzelend. Van Zanten heeft hem niet gehoord. 'Meneer?'

Van Zanten kijkt om. 'Ja?'

'Zou ik... Zou ik uw verzameling een keer mogen bekijken?'

Sem en Rosemijn kijken verbaasd opzij. Luuk probeert zich daar niets van aan te trekken.

'Natuurlijk!' lacht Van Zanten verrast. 'Je bent welkom. Bel maar voor een afspraak. Ik woon op het Brikkenpad. Langs de weg staat een bord van mijn museum *Tankstop.*'

'Binnenkort?'

Van Zanten haalt zijn schouders op. 'Zeg het maar. Ik ben veel thuis. Af en toe maak ik proefritjes en sinds kort ben ik vrijwilliger bij de Oud Papier Centrale.'

Ze schieten allemaal in de lach. Ranger blaft vrolijk mee.

De vrouw staat met de telefoon in de hand achter het raam en kijkt wantrouwend naar het groepje.

'We moeten hier weg,' grijnst Van Zanten. 'Volgens mij belt ze haar man. En voor je het weet staan we oog in oog met een supergespierde bodybuilder.'

'Er kan ons niets gebeuren,' komt het stoer uit Luuks mond. 'Ranger beschermt ons.'

'Hou je die hond goed vast?' vraagt Van Zanten. 'Ik ga mijn Berini M21 weer aanfietsen.'

Luuk wurmt zijn vingers onder de halsband en draait het uiteinde van de riem een paar keer om zijn hand. 'Ranger, rustig,' zegt hij uit voorzorg. 'Niet schrikken.'

Van Zanten schopt een jaspand naar achteren en gaat op de pedalen staan. Hij fietst weg en binnen een paar seconden begint de brommer te sputteren en vier tellen later is de straat gevuld met een oorverdovend lawaai.

'Hij doet het!' schreeuwt Van Zanten.

'Rustig!' brult Luuk als Ranger begint te blaffen.

Bij de bocht draait Van Zanten zich om en zwaait uitbundig. Dan verdwijnt hij uit het zicht.

'Wat een gekke man,' mompelt Sem.

'Nee, een bijzondere man,' verbetert Luuk. 'Hij trekt zich nergens iets van aan en heeft humor.'

'Het was net een film,' giechelt Rosemijn als ze terugdenkt aan het moment dat Van Zanten niet remde, maar per ongeluk gas gaf en tegen die opgestapelde dozen in de garage tot stilstand kwam.

Vrolijk lopen ze naar Sems huis.

Sems vader rijdt net de oprit af. 'Spoedgeval,' roept hij door het geopende raam. 'Nena is in de praktijk.'

Sem knikt en steekt zijn hand op, maar zijn vader is al weg. 'Dat betekent dat we laat zullen eten.'

Rosemijn kijkt op haar horloge. 'Ik blijf niet lang.'

Luuk perst zijn lippen op elkaar. Het is alweer bijna tijd om op te stappen. De ergernis laait in hem op. Rosemijn pakt haar loshangende haar bijeen en draait er een elastiekje in. Luuk slaat haar een ogenblik gade en kijkt dan heimelijk naar Sem. Even heeft hij gedacht dat Rosemijn en Sem echte vrienden van hem zouden worden. Een domme gedachte! Vrienden bestaan niet echt. Je bedenkt ze in je hoofd, net zoals dromen.

Vanaf het moment dat ze besloten om samen voor Ranger te zorgen, ontstond bij hem de achterdocht. Luuk weet dat Sem en Rosemijn hem als concurrent zien. Ze willen hem kwijt, zodat ze Ranger met z'n tweeën kunnen verzorgen. Hij zal er alles aan doen dat dát never-nooit-niet zal gebeuren! Hij laat zich Ranger niet afpakken. Steeds meer beseft hij dat de vreemde droom een waarschuwing is.

Luuk drukt de riem in Sems hand, trekt een veter uit zijn sportschoen en laat Ranger eraan ruiken. Sem wacht met Ranger achter de schuur totdat Luuk de veter heeft verstopt. Dat doen ze een paar keer achter elkaar. Ranger vindt spoorzoeken leuk en wordt steeds beter in het vinden.

'Ranger is goed!' zegt Luuk trots. 'Misschien kan hij wel politiehond worden.'

Om kwart over zes gaan ze nog even met elkaar in Villa Ranger zitten. Als Rosemijn opstaat omdat ze om half zeven thuis moet zijn, treuzelt Luuk. Hij zou nog graag een klein ommetje met Ranger willen maken. Sem kan dat elke avond doen, omdat Ranger in de schuur bij zijn huis logeert. Dat voelt oneerlijk.

'Tot morgen!' groet Rosemijn.

'Wanneer gaan we op bezoek bij museum Tankstop?' vraagt Sem onverwachts.

'Wat?' Luuk kijkt verbaasd opzij.

'Wanneer gaan we naar dat museum van stuntman Knetter-Kees?'

'Ik zie wel.'

'Je wil er toch graag naartoe?'

'Mmm,' knikt Luuk instemmend. Natuurlijk wil hij graag een bezoek brengen aan dat museum, maar niet samen met Sem en Rosemijn. Hij is uitgenodigd. De andere twee niet. 'Het heeft geen haast,' mompelt Luuk.

Hoofdstuk 8

KLEIN JOCHIE!

Luuks wekker gaat, maar hij blijft nog even doodstil op zijn rug liggen. Hij staart naar het plafond. Beneden hoort hij zijn moeder in de keuken rondlopen. Gisterenavond lukte het niet om in slaap te komen. Luuk was bang dat hij opnieuw die akelige kerkhofdroom zou beleven. Pas ver na middernacht viel hij in een droomloze slaap.

'Luuk?'

'Ik ben wakker!' Luuk gooit met een zucht het dekbed van zich af en zwaait zijn benen over de rand. Opeens denkt hij aan de ontmoeting die hij gisteren had met Van Zanten, de verzamelaar van oude motoren en bromfietsen. De opwinding raast meteen door zijn lijf. Luuk wil snel een bezoek aan het museum brengen. Het liefst vandaag, zónder Sem en Rosemijn.

Terwijl hij zijn kleren aantrekt, bedenkt hij hoe hij het beste een afspraak kan maken zonder dat Sem en Rosemijn het te weten komen.

'De eieren zijn gebakken!' roept Marijke.

'Ik kom!' Luuk haast zich naar de badkamer, draait de kraan open en gooit een paar handen water in zijn gezicht. Brrr! Hij poetst zijn tanden en bekijkt zichzelf ondertussen in de spiegel. Jemig! Op zijn kin zit alweer een puistje. Zijn moeder heeft iets gekocht bij de drogist. Volgens de bijsluiter reinigt het de huid grondig en voorkomt het puistjes. Ze maken hem niks wijs. Het gebeurt steeds vaker dat er puistjes op zijn gezicht verschijnen. Hij heeft dat dure wondermiddel een paar maal gebruikt,

44

maar het helpt voor geen meter.

Luuk kamt zijn haar naar achteren en doet er gel in, zodat het bovenop zijn hoofd recht overeind staat. Hij draait zijn hoofd voor een nauwkeurige inspectie alle kanten op. 'Oké,' mompelt hij goedkeurend.

Met samengeknepen ogen kijkt naar zichzelf; een jongen van bijna twaalf. Sproeten, lichtrood gekleurd haar en een ovaal, smal gezicht. Niet bepaald de knapste van de klas. Alleen zijn ogen zijn opvallend lichtblauw. Korenbloemblauw, volgens een meisje uit zijn klas. Luuk heeft dezelfde ogen als zijn moeder. Maar dat is dan ook de enige overeenkomst.

Mensen zijn vaak verbaasd wanneer ze horen dat Marijke zijn moeder is. Ten eerste ziet ze er ondanks haar leeftijd nog meisjesachtig uit. Ten tweede lijkt Luuk in de verste verten niet op haar. Marijke heeft een lichtbruine huidskleur en donker haar. Haar voorouders komen uit Italië. Toch heeft Marijke, net als Luuk, opvallende lichtblauwe ogen.

Soms kan Luuk een hele tijd in de spiegel naar zichzelf kijken. Dan probeert hij zich een beeld te vormen van zijn vader die hij nooit gekend heeft. Waarschijnlijk lijkt hij veel op hem. Marijke praat weinig over hem. Ze wil de man die haar met een baby in de steek liet, vergeten.

'Sommige dingen kun je mij toch wel vertellen?' smeekt Luuk vaak.

'Nee, dat is niet zo makkelijk als het lijkt. Ook al is het elf jaar geleden gebeurd, praten over die tijd doet nog te veel pijn.'

Tja, en op die manier blijft Luuks vader een vage persoon waar hij steeds nieuwsgieriger naar wordt. Voor Luuk voelt het alsof er een gat in zijn hart zit. Een leegte die niet op te vullen is...

Daarom is Ranger belangrijk, maar ook een man als Gerard van Zanten.

Soms denkt hij eraan dat hij zijn vader ergens in de stad tegenkomt, zonder het te weten. En Gerard van Zanten zou bijvoorbeeld zijn grootvader kunnen zijn. Waarom niet? Hij kent de achternaam van zijn echte vader niet. Stel je voor...

'De gebakken eieren worden koud!'

'Jaha!' reageert Luuk geïrriteerd. Hij buigt zijn gezicht naar de spiegel toe om het puistje van dichtbij te bekijken. Met een beetje geluk blijft het een klein pukkeltje.

Marijke zit haar zoon aan de ontbijttafel op te wachten en maakt een plagend gebaar naar de klok. 'Je hebt steeds meer tijd nodig in de badkamer.'

'Is dat erg?' snauwt hij. 'Er staat geen lange rij voor de deur te wachten.'

Zijn moeder lacht. 'Ik vind het grappig om dat te constateren.'

Luuk denkt na over haar woorden. Wat bedoelt ze eigenlijk? 'Hoezo grappig?'

'Mijn kleine jochie...' Dromerig staart ze langs hem heen door het keukenraam.

'Klein jochie?' herhaalt hij verontwaardigd. Hij kan er niet tegen dat zijn moeder zo'n vreemde blik in haar ogen heeft; dan ziet hij bijna tranen van ontroering komen. Luuk kan niets met mensen die emoties laten zien. Dat maakt hem bang en onzeker. Hoe moet je daarmee omgaan? Wat moet je zeggen?

'Je kon zo boos worden, zo ongelooflijk boos omdat je niet in de spiegel kon kijken. Je stampvoette van woede.'

'Ik?' Luuk produceert een flauwe glimlach rond zijn mond.

'Toen woonden we nog in het andere huis. Je was een eigenwijze peuter die alles zelf wilde doen. Ik stond daar 's ochtends mijn haar te kammen en maakte me op. Jij ging op je tenen staan, trok je aan de wastafel op of sleepte een stoel naar de badkamer. Niets hielp; je kon niet in de spiegel kijken.'

'Waarom tilde je me niet op?'

'Jou optillen?' herhaalt Marijke proestend. 'Dat mocht juist niet.

Jij wilde zélf kunnen kijken. Toen dat drama zich bijna elke ochtend herhaalde, heb ik een grote spiegel voor jou gekocht. Die zette ik op de grond, tegen de muur.'

'Probleem opgelost,' mompelt Luuk. Hij vindt het fijn als zijn moeder over vroeger vertelt. Hij probeert op allerlei dingen tegelijk te letten. Hoe ze kijkt, hoe ze praat en of ze wel of niet glimlacht. Al die ogenschijnlijk onbelangrijke details hebben te maken met haar liefde voor hem.

Ooit zal hij haar betrappen door de wijze waarop ze iets zegt. Dan zal ze door de mand vallen; dan weet hij dat zijn moeder eigenlijk met hem in haar maag zit. Zij had haar leven zo anders voorgesteld toen ze verliefd was; twee jonge mensen die een prachtige toekomst tegemoet zouden gaan. Helaas, zijn vader maakte schulden en ging ervandoor. Marijke bleef achter met een baby en draaide voor een hoop ellende op.

Oma, de moeder van Marijke, zegt dat hij trots op zijn moeder mag zijn. Ze heeft zoveel tegenslag gehad en altijd lukte het haar om het hoofd boven water te houden.

'Voor jou,' zei oma. 'Voor jou deed en doet ze alles. Jij bent het belangrijkste in haar leven.'

Toen oma dat vertelde, geloofde hij voor het eerst diep in zijn binnenste dat het waar was. Maar meestal twijfelt hij. Als hij niet geboren was, had ze een ander leven. Alle tegenslag in het verleden heeft met hem te maken.

Het allerergste vindt Luuk dat ze een enorme hekel heeft aan de man die haar dit allemaal aandeed. Maar die man is toevallig wel Luuks vader...

Er zijn momenten dat hij zich schuldig voelt omdat hij de veroorzaker is van alle ellende.

Hoe kun je geloven dat je moeder werkelijk van je houdt? Ze doet alles voor hem, dat is waar. Maar is dat de garantie dat ze van hem houdt?

Die gedachten durft hij niet hardop uit te spreken. Niemand hoeft het te weten.

Met een gevoel van jaloezie kijkt hij naar andere kinderen die niet twijfelen aan de liefde van hun ouders. Ze vinden het vanzelfsprekend dat hun ouders van hen houden.

Bestaat liefde die vanzelfsprekend is?

'Nee, het probleem was niet opgelost,' antwoordt Marijke glimlachend. 'Het ging jou om die spiegel boven de wastafel. Jij wilde groot zijn, niet opgetild worden. Wat heb ik een gesprekken moeten voeren om uit te leggen dat je later vanzelf in de spiegel kon kijken. Dat je nu klein was en later groot zou worden. Daar moest ik net aan denken.' Marijke kijkt naar Luuk. 'Aan dat kleine jochie van toen. Je bent nu echt groot geworden.'

'Was dat maar zo.' Hij neemt een hap van zijn brood. Het ei is koud geworden. 'Een paar jongens en meisjes uit mijn klas zijn langer dan ik.'

'Je haalt ze in. Zeker weten.'

'O ja?'

'Je vader was lang.' De woorden ontglippen haar. Ze had het niet willen zeggen. Marijke begint snel over iets anders te praten, staat op en vraagt of hij thee wil.

Luuk knikt. Hij weet dat het beter is om geen vragen over zijn vader te stellen.

Als Marijke weer tegenover hem gaat zitten en de beker thee naar hem toe schuift, begint ze over zijn verjaardag. Ze vindt dat hij nu maar eens een feestje moet organiseren. Tenslotte wordt haar 'kleine jochie' twaalf.

'Geen zin,' antwoordt Luuk resoluut.

Marijke kijkt teleurgesteld. 'Alleen omdat jij dénkt dat je geen vrienden hebt?'

Luuk propt de rest van het brood in zijn mond. 'Ja.'

'Sem en Rosemijn.'

'Ranger!' zegt Luuk. 'Hij is mijn enige echte vriend.' Hij staat op en pakt het telefoonboek. 'Ik ga een afspraak regelen.'

'Met die museumman?'

'Ja.'

Marijkes ogen lichten op. Zodra Luuk weg is, zal ze bellen.

Hoofdstuk 9

DROOMWENSEN

'Is het goed als ik meteen na schooltijd kom?' vraagt Luuk aan Gerard van Zanten.

'Dat is prima. Neem je je vrienden mee?'

Luuk weet even niet wat hij moet zeggen. 'De anderen zijn niet geïnteresseerd in "oud ijzer". Ik denk dat ik alleen kom.'

Van Zanten grinnikt. Hij wenst Luuk sterkte op school en voegt eraan toe dat hij naar Luuks komst uitkijkt.

'Het liefst zou ik nu al komen.'

Van Zanten lacht hartelijk. 'Dat geloof ik graag.'

Ze zeggen gedag en Luuk legt de telefoon neer. Hij maakt een vreugdesprongetje.

Marijke lacht. Ze ziet Luuk niet vaak in een vrolijke bui. 'Vond hij het niet vervelend dat je zo vroeg belde?'

Luuk schudt zijn hoofd. 'Het is een hartstikke aardige man.'

'Hij vindt het leuk dat zo'n jochie van elf geïnteresseerd is in zijn verzameling.'

Luuk lacht meesmuilend.

'In het weekend bak ik een grote taart,' vertelt Marijke.

Luuk loopt naar de hal om zijn jas te pakken. 'Je doet maar,' reageert hij onverschillig.

'Luuk, doe niet zo nukkig!'

'Van mij hoeft het niet.'

Marijke zucht. 'Wil je echt je verjaardag niet vieren of doe je alsof?'

'Ik wil het niet!' Luuk loopt naar de fruitschaal om fruit te pakken voor in de pauze. Hij laat een banaan en een appel in zijn jaszak glijden en blijft voor zijn moeder staan. 'Je snapt wel dat ik alleen naar dat museum ga.'

'Wat bedoel je?'

'Zonder aanhang.'

Marijke kijkt verbaasd.

'Zonder Rosemijn en Sem! Zij mogen niet te weten dat ik die afspraak heb.'

Marijke kijkt haar zoon verbaasd aan. 'Dat vind ik onzin.'

'Het kan mij niet schelen wat jij ervan vindt.'

'Vind je jezelf niet kinderachtig?'

'Nee.' Met driftige passen loopt Luuk naar de achterdeur.

'Is Van Zanten jouw persoonlijk eigendom?'

Luuk zwijgt.

'Waarom zouden Sem en Rosemijn niet naar dat privémuseum mogen?'

'Zij hebben een vader!' barst Luuk uit.

'Luuk! Waarom haal je dat er altijd weer bij?'

'Ze hebben alles wat ik niet heb.'

'Je weet dat het geen zin heeft om naar anderen te kijken.'

'Ik zou graag een hond willen, maar dat mag niet van jou. Nu mogen we een paar weken op Ranger passen, maar zie ik hem alleen 's middags na schooltijd. Hij is de hele dag bij Sem in de achtertuin. Ik wil graag iets voor mij alleen.'

'Meneer Van Zanten kun je niet claimen. Die is van zichzelf en hij bepaalt wie hij wel of niet wil ontmoeten.'

'Dat weet ik ook wel.'

'Het is leuk om dingen met anderen te delen.'

'Ja, dat zal wel,' mompelt Luuk en hij laat de deur achter zich dichtvallen.

Hij ergert zich aan zijn moeder. Ze weet precies wat hij denkt en voelt. Alsof ze dwars door hem heen kijkt.

Hij wil Sem en Rosemijn niet vertellen over de afspraak. Hij is iets van plan.

Marijke doet het raam open. 'Ik bak toch een taart!' roept ze. 'Dan eten we die wel met z'n tweeën op,' antwoordt hij laconiek en spurt op zijn fiets naar school.

Op het plein zitten Sem en Rosemijn op het muurtje vlakbij de fietsenstalling. Ze zitten zo te kletsen dat ze niet zien dat Luuk naar hen toeloopt.

'Hoi,' groet Luuk.

Sem en Rosemijn groeten vrolijk terug.

Te vrolijk, vindt Luuk en hij voelt een vleugje wantrouwen.

Rosemijn schuift opzij om plaats te maken op het muurtje. Na een lichte aarzeling gaat Luuk naast haar zitten.

'We hadden het over droomwensen,' vertelt Rosemijn.

'Wensen die nooit uitkomen!' zegt Luuk.

'Wat is jouw droomwens?'

'Daar hoef ik niet lang over na te denken.'

Sem en Rosemijn nemen hem afwachtend op.

'Een spiksplinternieuwe computer?' oppert Sem.

Luuk schudt verontwaardigd zijn hoofd.

'Nou?' Rosemijn klinkt ongeduldig.

'Mijn vader ontmoeten,' mompelt hij tenslotte.

Sem en Rosemijn kijken elkaar heel even aan.

'Zal die wens ooit uitkomen?' vraagt Sem.

Luuk haalt zijn schouders op. Hij heeft geen zin om te praten over de man die hij mist.

'Heeft jouw moeder zijn adres niet?' vraagt Rosemijn. 'Hij woont toch ergens?'

Luuk peutert met zijn nagel wat mos van het muurtje af. Waarom interesseert het hen? Beseffen ze hoe het voelt om op te groeien zonder vader omdat die man je in de steek heeft gelaten?

'Nee, mijn moeder heeft geen adres. Hij is waarschijnlijk naar het buitenland gegaan.'

'Ben je boos?' vraagt Sem.

'Op een man die ik niet gekend heb?' •

'Dat kan toch?'

'Ik ben niet trots op hem,' geeft Luuk toe. 'Iemand die wegloopt voor problemen is geen held.' Luuk probeert te glimlachen. 'Toch zou ik willen weten wie hij is. Hoe zijn stem klinkt, wat zijn hobby's zijn. Hij is en blijft mijn vader.'

Rosemijn kijkt hem ernstig aan. 'Zou hij vaak aan jou denken?'

'Misschien. Maar hij mist mij niet! Hij heeft elf jaar lang de tijd gehad om mij op te komen zoeken en dat heeft hij nooit gedaan.'

'Misschien durft hij dat niet,' zegt Sem.

Luuk lacht schamper.

'Omdat hij zich schaamt,' meent Rosemijn.

'Heb je een tweede droomwens?' vraagt Sem na een korte stilte.

'Nog een wens die nooit uit zal komen,' grijnst Luuk. 'Ik zou willen dat Ranger altijd bij ons blijft.'

'Heb je soms ook nog een wens die wel uit kan komen?' lacht Rosemijn.

Luuk knikt. 'Ja! Van die gewone hebbedingetjes.'

'Een spiksplinternieuwe computer?' Sem springt met een brede grijns van het muurtje.

'Bijvoorbeeld!' Luuk wil nog iets zeggen maar houdt op tijd zijn mond. Die andere wens hoeven ze niet te weten. Dat zal zijn best bewaarde geheim blijven.

Vanmiddag zal hij er met Van Zanten over praten.

Dan gaat de bel.

'Hoe is het met Ranger?' vraagt Luuk als ze over het plein lopen.

Sems gezicht betrekt. 'Hij was vannacht onrustig.'

'Waarom?' vraagt Luuk bezorgd.

'Dat weten we niet. Volgens mij voelt hij zich eenzaam. Hij heeft wel een uur gejankt. Samen met mijn vader heb ik een tijd bij hem gezeten. Ik wilde hem mee naar binnen nemen, maar dat mocht niet. Mijn ouders willen geen hond binnen.'

Luuk bijt op zijn onderlip. 'Ranger verdient beter,' mompelt hij.

'Ik vind het sneu,' zegt Rosemijn.

'Ik hoop dat hij vannacht rustig blijft,' zegt Sem. 'Want als hij elke nacht jankt, hebben we een probleem.'

'Ja, een groot probleem,' zegt Luuk somber.

Rosemijn stelt voor om vanmiddag met z'n allen naar het bos te gaan om met Ranger te spelen.

'Afgesproken,' knikt Sem.

Luuk zwijgt.

Rosemijn stoot hem verbaasd aan. 'Geen zin?'

'Ik kan niet.'

Rosemijn en Sem draaien tegelijk hun hoofd opzij en staren hem verbaasd aan.

'Sorry,' verontschuldigt Luuk zich een beetje onhandig. Hij weet dat ze op een verklaring wachten, maar die krijgen ze niet. 'Maar vanmiddag blijf ik thuis.'

Hoofdstuk 10

MUSEUMDIRECTEUR

Zenuwachtig fietst Luuk naar museum Tankstop. Hij kan gewoon niet geloven dat hij hier naartoe gaat. Hij mist Ranger nu al! Het liefst zou hij bij de herdershond zijn. Met hem stoeien, rennen of hem gewoon tegen zich aan drukken. De warmte van het dierenlijf voelen...

Luuk vindt het geweldig wanneer Ranger hem met zijn bruine ogen aankijkt. Dan gebeurt er iets vanbinnen. Ranger vertelt alles met zijn ogen. Hij laat zien dat hij om Luuk geeft. Dat Luuk belangrijk voor hem is, dat hij Luuk vertrouwt en nooit in de steek zal laten.

Zou Ranger hem missen?

Sem en Rosemijn zullen nu wel de schuur binnenstappen en door de herdershond begroet worden. De kans is groot dat Ranger onrustig heen en weer loopt en op de uitkijk gaat staan om Luuk op te wachten. De groep is immers niet compleet!

Natuurlijk mist hij Luuk! Of zou het hem niks kunnen schelen? Luuk slikt. Hij heeft deze beslissing genomen omdat hij de andere twee er niet bij wil hebben. Luuk zal zijn best moeten doen om de man ervan te overtuigen dat hij kan helpen een belangrijke wens van Luuk in vervulling te laten gaan. Luuk zal hem het een en ander op de mouw moeten spelden. Maar dat gaat lukken, want Luuk kan heel goed liegen.

Luuks moeder verafschuwt dat gedrag en probeert hem voortdurend op de consequenties hiervan te wijzen. Dan lacht hij maar wat en vraagt spottend of ze er weer een boek over heeft gelezen. Marijke verslindt boeken over opvoeden. Ze neemt haar taak als moeder heel serieus. Maar Luuk trekt zich weinig van haar adviezen aan. Hij weet op allerlei manieren zijn zin door te drukken. Daar is niks mis mee, vindt hij. Het gaat erom dat je je doel bereikt.

Luuk heeft de hele dag op school nagedacht over hoe hij dit het beste kan doen. Het is een kwestie van een geloofwaardig toneelstukje opvoeren.

Toch is er iets wat hem dwars zit. Toen hij vanochtend met Sem en Rosemijn op het muurtje zat, had hij het gevoel dat ze hem probeerden uit te horen. Waren ze wel geïnteresseerd in zijn droomwensen? Toen hij later vertelde dat hij niet mee-ging naar Ranger, keken Sem en Rosemijn elkaar verbaasd aan maar vroegen helemaal niets. Bij die twee hadden alarmbel-letjes moeten rinkelen. Maar nee hoor. Ze liepen gewoon door naar binnen. Even later hingen Sem en Rosemijn hun jassen op. Luuk deed alsof hij naar het toilet ging, maar halverwege liep hij terug om hen af te luisteren.

'Jammer,' hoorde hij Rosemijn zeggen. 'Hij was achterdoch-tig.'

'Hij vertrouwt ons niet,' antwoordde Sem. 'Zoals gewoonlijk.'

'We hebben nog een paar dagen. Anders verzinnen we zelf wel wat.'

Luuk heeft zich suf gepiekerd. Wat zouden ze van plan zijn? Hij slaakt een zucht. 'Eerst dit klusje.' Hij kijkt naar het bord in de berm.

Privé-museum

TANKSTOP

Hij stapt van zijn fiets en kijkt naar de grote loods naast het huis. Zou die vol staan met oldtimers?

'Welkom! Welkom!' roept Van Zanten. Hij staat op het pad

56

tussen zijn woonhuis en het museum en heeft Luuk zien aankomen. 'Ik verwacht vandaag nog meer bezoek, dus heb ik op aanraden van mijn vrouw mijn volledige verzameling afgestoft en de "Nationale Banden-oppomp-dag" met een week vervroegd.'

Luuk zet zijn fiets tegen een schutting en glimlacht verlegen. Hij heeft nog nooit van de Nationale Banden-oppomp-dag gehoord.

'De meeste tweewielers in mijn museum zijn rijdend naar binnen gekomen. Voor een korte tankstop,' knipoogt hij grinnikend. 'In principe is het een kwestie van bougies schoonmaken en dan kunnen ze de straat weer op. Dat doe ik regelmatig. Aangezien ik het een troosteloze aanblik vind als alle voertuigen op leeggelopen banden staan, vier ik een paar keer per jaar een Nationale Banden-oppomp-dag! Ik stel van tevoren een datum vast. Het is een hele klus om alle banden op te pompen. Misschien heb je zin om bij de volgende Nationale Banden-oppomp-dag aanwezig te zijn en een handje te helpen?'

Luuk voelt zich overrompeld maar antwoordt beleefd dat hij heel graag wil helpen. Hij tuurt over de schouder van meneer Van Zanten naar de grote loods. Boven de ingang is met grote letters TANKSTOP geschilderd.

'Komen er elke dag bezoekers?'

'Dat is nooit te voorspellen. De meeste mensen maken van tevoren een afspraak. Soms komen er wel twintig bezoekers op een dag, soms komt er een week lang geen mens. Wel bezoeken regelmatig leden van een bromfiets- of motorclub mijn museum. Dat is altijd leuk,' voegt Van Zanten eraan toe. 'Kom, we gaan naar binnen.'

Van Zanten loopt met grote passen over het erf naar het museum. Ondertussen vertelt hij dat er vanmiddag een fietsclub op bezoek komt.

'Wielrenners?'

Van Zanten schudt lachend het hoofd. 'Geen snelle jongens. Deze mensen komen op oude fietsen in gepaste kleding. Ze zijn gepensioneerd en wonen in de buurt. Ze maken door de week af en toe fietstochten. Ik verwacht ze pas na vijf uur. Mijn vrouw doet nu boodschappen en helpt mij straks om de fietsers van een kop koffie en een plak cake te voorzien. Heel gezellig.' Met een trotse glimlach op zijn gezicht opent hij de deur en nodigt Luuk uit om naar binnen te gaan.

De geur van olie en oude banden dringt zijn neusgaten binnen. 'Mmm, dat ruikt lekker.'

'Dat hoor ik graag,' knikt Van Zanten. 'Je ruikt de geur van nostalgie of anders gezegd: de geur van vervlogen tijden. Daar kan geen dure Franse parfum tegenop.'

Luuk staat bij een oude toonbank, die als balie wordt gebruikt, en kijkt naar de etalagepop naast de groengele benzinepomp. De pop draagt oude motorkleding. 'Wat gaaf!' fluistert hij. Zijn ogen dwalen door de sfeervolle ruimte. Overal staan motoren, oude fietsen en bromfietsen. Er hangen er zelfs een paar aan het plafond. Het is een prachtig gezicht. Achter de toonbank staat een grote vitrinekast met een verzameling kaars- en carbidlampen. Luuk kijkt zijn ogen uit.

Dat Van Zanten het museum samen met zijn vrouw heeft ingericht is te zien. Het straalt orde en tegelijk een gezellige sfeer uit.

Luuk weet niet welke kant hij het eerst op zal gaan.

'Elke ochtend sta ik zeker een minuut in absolute stilte rond te kijken. Dan krab ik achter mijn oor en vraag ik mijzelf vol verbazing af hoe ik in de afgelopen jaren zo veel bij elkaar kon verzamelen. Vooral fietsen, motoren en bromfietsen van verschillende periodes. Daardoor kan ik de ontwikkeling van de techniek laten zien.'

Ze lopen tussen een rij oude motoren door. Van Zanten vindt het geweldig dat een jongen van elf geïnteresseerd is in zijn verzameling. Tenslotte is Luuk een kind van de computergeneratie en Van Zanten heeft altijd gedacht dat die geen oog voor oude techniek zou hebben.

Op alle vragen die Luuk stelt geeft Van Zanten een uitgebreid antwoord. Hij vertelt honderduit over de motoren van de merken Simplex, Union en AJS en de bekende bromfietsmerken als Rap, Zundapp, Solex, Batavus en Sparta.

De muren hangen vol met geëmailleerde reclameborden, gereedschap en motorkleding uit verschillende tijden. Her en der staan ouderwetse benzinepompen en er is zelfs een fietsenmakerswerkplaats.

Als ze achter in het museum staan, wijst Luuk naar een deur.

'Staan daar nog meer kunstschatten?'

'Dat is mijn werkplaats. Propvol gestouwd met oude brommertjes.'

'Oude brommertjes?' herhaalt Luuk gretig.

Dit kan geen toeval zijn!

'Ja, die heb ik opgekocht van een fietsenmaker. Die man ging met pensioen. Ik wil de bromfietsen gebruiken om er onderdelen van af te slopen.' Hij doet de deur open zodat Luuk een blik naar binnen kan werpen. Luuk ziet wel vijf brommertjes in een hoek staan.

Dan gaat de telefoon van meneer Van Zanten. Hij moet even zoeken in welke zak zijn mobiele telefoon verstopt zit. Het is zijn vrouw. Terwijl hij met haar praat, loopt Luuk langs de brommertjes.

'We hebben een klein probleem!' roept Van Zanten even later. 'Mijn vrouw staat met autopech, vijftien kilometer hier vandaan. Of ik wil komen om de band te wisselen. Natuurlijk ga ik naar haar toe. Maar straks komt die groep. Als het meezit ben ik binnen een uur terug. Zou jij hier zo lang willen blijven om een oogje in het zeil te houden en de fietsclub welkom heten?'

Luuk kijkt hem verbijsterd aan en voelt een kleur van opwinding op zijn wangen verschijnen. 'Natuurlijk,' stamelt hij. 'Dat wil ik wel!'

'Geweldig.' Van Zanten steekt dankbaar een duim omhoog. 'Zeg maar dat je waarnemend museumdirecteur bent.' Hij pakt zijn motorjas van de haak, grist een helm van de plank en ronkt een paar minuten later op zijn Berini de werkplaats uit.

'Te gek,' fluistert Luuk.

Hoofdstuk 11

STIEKEM!

Luuk loopt mee naar buiten en probeert boven het geluid uit te roepen: 'Als u maar geen pech krijgt!'

'Wat zeg je?'

'Ik hoop dat u geen pech krijgt!'

Van Zanten schudt zijn hoofd. 'Ik vertrouw mijn Berini. Er zit veel geluid in, maar dat is motorbluf!'

Luuk haalt zijn schouders op. 'Wat betekent dat?'

'Deze Berini maakt een enorme hoeveelheid lawaai, maar heeft eigenlijk weinig trekkracht en snelheid. Mijn Berini stelt zich aan; hij wil zich beter voordoen dan hij is. Zo doen mensen ook vaak. Dan maken ze een heleboel kabaal en bluffen enorm! Met als enige doel: indruk op anderen maken.'

'Motorbluf!' Luuk trekt een grimas. 'Ik snap het.'

'Ik probeer op tijd terug te zijn voor de rondleiding. In de koelkast staat frisdrank. Pak maar wat als je zin hebt. Tot straks!'

Van Zanten geeft gas en scheurt over het erf weg.

Luuk staat in de deuropening en kijkt hem na. Door de wapperende jas lijkt Van Zanten op een grote prehistorische vogel, die met veel moeite van de aarde probeert los te komen.

Het geluid van de ronkende Berini sterft langzaam weg.

Luuk draait zich grinnikend om en trekt de deur achter zich in het slot.

'Te gek!' brult hij. 'Helemaal te gek!' Zijn stem galmt door de grote ruimte. Hij recht zijn rug en loopt met grote stappen over het gangpad tussen de motoren door. Bij een oude legermotor met zijspan staat een pop in uniform. 'Goedemiddag, commandant! Waar gaat u naartoe? O, u mag niets vertellen. U bent een speciale afgezant van het leger. Aha, het betreft een geheime missie. Nee, natuurlijk vertel ik niets. Uw geheim blijft mijn geheim. Erewoord! Ik zwijg als het graf...'

Luuk grinnikt om zichzelf. Hij draait zich een kwartslag en loopt naar de werkplaats van de fietsenmaker. Op de kruk, naast een oude fiets, zit een andere etalagepop, verkleed als de eigenaar van de werkplaats. 'Dag meneer. Ik zoek een crossbrommer. Wat zegt u? Die brommers staan in het rommelhok? Vijf oude brommers! Inderdaad, keus genoeg. Mag ik een proefritje maken?'

Luuk stapt Van Zantens werkplaats binnen en haalt diep adem. Dit is wat hij wil: een crossbrommer!

Luuk had zich voorgenomen om een zielig verhaal te vertellen over zijn verdwenen vader die vroeger op een crossmotor reed. Luuk mist zijn vader en wil daarom net als zijn vader graag crossen. Hij hoopt op die manier zijn vader beter te begrijpen. Luuk wist zeker dat Van Zanten onder de indruk van dat verhaal zou zijn en mee zou helpen om een crossbrommer te regelen.

Het lot is hem gunstig gezind: hij kan doen wat hij wil. Er is niemand. Hij geeft zich een half uur.

Zoekend loopt Luuk langs de brommers. Uiteindelijk kiest hij voor de middelste. Hij trekt die brommer tussen de andere uit en controleert de banden. Die zijn in orde. Luuk grinnikt als hij aan de Nationale Banden-oppomp-dag denkt. Haastig draait hij de dop van de benzinetank af en ruikt. Hij schudt de bromfiets een paar maal heen en weer. Aan het klotsen te horen zit er minstens een liter brandstof in. 'Genoeg voor een klein ritje,' fluistert hij opgewonden.

Luuk probeert de brommer te starten, maar dat lukt niet.

Maanden geleden heeft hij in het schuurtje van een buurjongen gekeken hoe die aan zijn brommer sleutelde. Luuk weet daarom wat een bougie is en hoe je die los kunt krijgen. 'Hartstikke smerig,' constateert hij en zoekt een doek waarmee hij de bougie schoon kan maken.

Luuk duwt de bromfiets aan. Dat lukt pas bij de derde poging. Wat nu?

Hij kijkt om zich heen. Zal hij stiekem een ritje maken? Waarom niet? Er is niemand die het ziet.

Op een plank liggen twee helmen. Daar mag hij er vast wel een van gebruiken. Hij zet het 'damesbrommertje' op de standaard en draait de gashendel een paar maal open. Dat veroorzaakt veel lawaai. Luuk is bang dat de motor af zal slaan. Hij rent naar de plank, grist de helm eraf en zet die op zijn hoofd, zonder het riempje vast te maken. Er hangt een blauwe walm in de werkplaats. Voorzichtig gaat hij zitten, duwt de brommer van de standaard en geeft tegelijkertijd gas. Dat is niet slim. Hij schiet naar voren. In een reflex knijpt Luuk de remmen in. Gelukkig werken die prima en komt hij een halve meter voor de deur tot stilstand.

Zijn hart gaat als een razende tekeer.

Dit is zijn kans en die wil hij niet voorbij laten gaan. Hij heeft het rijk voor zich alleen. Niemand die kijkt, niemand die hem kan tegenhouden.

Met zijn voet duwt hij de deur van de werkplaats open en rijdt langzaam tussen alles door naar de uitgang. Zittend op de brommer lukt het de zware deur open te duwen.

'Yeaaah!' brult Luuk als hij buiten rondrijdt.

Luuk heeft een keer eerder op een oude Solex gereden. Hij heeft dus een klein beetje ervaring.

Dit voelt geweldig!

Langs de oprijlaan staan een heleboel bloembakken. Ondanks

dat de herfst bijna begonnen is, zitten de bakken vol met bloei-
ende planten. Luuk is bang dat hij een van die bakken zal
schampen of omverrijden.

Aan het eind van het pad keert hij om. Hij wil geen risico
lopen dat de politie hem in de kraag grijpt.

Als hij terugrijdt, dringt het tot hem door dat meneer Van
Zanten hem volkomen vertrouwt! Anders laat je iemand niet
op een museum passen dat vol staat met oldtimers. De voertuigen en attributen zijn veel geld waard.

Van Zanten kent Luuk nauwelijks, maar toch laat hij hem met
een gerust hart in het museum achter. Die gedachte doet Luuk
goed. Hij moet zorgen dit vertrouwen niet te beschamen. Van
Zanten is een aardige man, die in de toekomst misschien iets
voor Luuk kan betekenen.

Als Ranger naar zijn eigenaar teruggaat, zal er een nare tijd
aanbreken. Maar het gemis zal minder erg zijn als Luuk een
eigen crossbrommer heeft. Tenminste, dat hoopt hij.

Een brommer geeft afleiding. Elke dag na schooltijd en in de
weekenden zou hij kunnen sleutelen en rondcrossen. Misschien
geeft een boer wel toestemming om op een omgeploegd stuk
land te mogen rijden. Als hij een crossbrommer heeft, zal hij
zich niet meer afhankelijk voelen van de vriendschap met Sem
en Rosemijn. Hij vertrouwt het tweetal niet. Het is wel zeker
dat ze hem liever kwijt dan rijk zijn.

Niemand krijgt hem klein. Never nooit niet!

Van Zanten zal hem begrijpen. Maar dan hij mag zijn vertrouwen niet beschamen. Dan gooit hij zijn eigen glazen in.

Luuk geeft steeds meer gas. Een paar meter voor de ingang
van het museum stuurt hij naar links en hangt stoer naast het
zadel. Hij draait super door de bocht. Zijn wangen gloeien van
inspanning.

Luuk kijkt om zich heen. Kon hij maar ergens rijden waar meer ruimte is. Hij gaat naar de achterkant van de loods en ontdekt een smal pad tussen de weilanden naar het bos.

Luuk duwt de mouw van zijn jas omhoog en kijkt vlug op zijn horloge. Stel je voor dat de groep fietsers voor de deur van het museum staat en er is niemand. Hij geeft zich twintig minuten tijd. Aarzelend rijdt hij over het smalle pad op. Het slingert alle kanten op en zit boordevol kuilen. Aan het eind is een heuveltje waar hij te hard overheen rijdt. Een halve seconde zweeft hij door de lucht. Wauw!

Het bospad is breder, maar niet makkelijker om op te rijden omdat er her en der dikke boomwortels uitsteken. Luuk krijgt steeds meer vertrouwen in zichzelf, totdat hij bijna onderuit gaat en beseft dat het anders had kunnen aflopen.

Luuk is buiten adem. Zijn armen doen pijn van het sturen. Hij kijkt op zijn horloge en ziet dat het tijd is om naar het museum terug te gaan!

'Shit!' Hij bedenkt opeens dat de deur van het museum niet afgesloten is. Iedereen kan naar binnen! Wat stom! Daar heeft hij geen seconde over nagedacht. Hij geeft gas en scheurt terug richting het weiland.

Plotseling hapert de motor.

'Volhouden,' moppert Luuk. 'Kom op!' Hij voelt dat de motor steeds langzamer gaat rijden, ook al draait hij wanhopig het gas open. Vijftig meter verder staat Luuk stil. De motor heeft het opgegeven. 'Ook dat nog,' mompelt Luuk.

Hij heeft geen idee wat er stuk is. Tijd om ernaar te kijken, gunt hij zich niet. Hij moet terug naar het museum. Hijgend duwt hij de bromfiets over het slingerende pad de heuvel op.

Plotseling blijft hij staan. Verderop in het bos ziet hij iemand wegduiken. Een man?

Luuk gaat op zijn tenen staan. Zal hij poolshoogte gaan nemen? Een rilling glijdt over zijn rug. Er klopt iets niet.

Luuk duwt de brommer voor zich uit en rent naar het weiland. Steeds sneller. Zijn hele lijf doet pijn, maar hij stopt niet om te kijken.

Hoofdstuk 12

RUZIE

Met het zweet op zijn voorhoofd staat Luuk achter het museum. Zijn hart bonkt in zijn keel. Hij hoort geen geluid. Waarschijnlijk is de fietsclub nog niet gearriveerd. 'Ik ben precies op tijd terug,' mompelt hij tevreden. Luuk veegt met de mouw van zijn jas over zijn voorhoofd en leunt met zijn armen op het stuur om een paar tellen uit te rusten. Zijn ogen dwalen over het weiland en zoeken de bosrand af.

Wat heeft hij gezien en waarom joeg het hem de stuipen op het lijf?

De gedaante dook weg om zich te verbergen. Waarom? Heeft de man Luuk in de gaten gehouden? Het was vast en zeker een man; de gestalte was groot en fors.

Iemand die niets te verbergen heeft, hoeft zich niet te verstoppen. Luuk denkt na. Stond er vandaag iets in de krant over een ontsnapte gevangene? Stel je voor dat een misdadiger zich in het bos schuilhoudt...

Hij haalt een paar keer diep adem, loopt naar de ingang en duwt de brommer het museum in.

Binnen is het doodstil.

Het was onverantwoordelijk om zomaar weg te gaan. Meneer Van Zanten gaat ervan uit dat zijn verzameling bewaakt wordt. Luuk klemt zijn kaken op elkaar. Voor zover hij het kan zien is er niemand binnen geweest en staat alles nog op zijn plek. Snel loopt hij met de brommer naar de werkplaats. Zal hij de brommer op dezelfde plaats terugzetten of juist niet? Hij kan ook vertellen dat hij geprobeerd heeft om de brommer aan de praat te krijgen. Luuk zet de brommer dwars voor de andere brommertjes en loopt met zijn handen in de zakken terug naar het museum. Zijn spieren doen vreselijk pijn.

Dan klinken buiten stemmen. Voorzichtig duwt Luuk de deur open. Het is de fietsclub! De mannen en vrouwen zien er prachtig uit in hun ouderwetse kleding. Luuk vertelt dat meneer Van Zanten elk moment terug kan komen en dat hij de plaatsvervangende museumdirecteur is.

'Ik heet u van harte welkom!' Luuk maakt een lichte buiging. Hij is verbaasd over zichzelf, omdat hij de groep mensen met een heleboel zelfvertrouwen ontvangt. Hij denkt aan zijn moeder, die een keer de opmerking heeft gemaakt dat hij later wel eens een succesvolle toneelspeler zou kunnen worden. Hij vraagt zich nog steeds af of ze serieus was.

Geïnteresseerd stappen de mensen over de drempel. Datzelfde moment rijdt een auto het erf op. Het is mevrouw Van Zanten. Ze stelt zich lachend aan Luuk voor.

'Die snelheidsduivel op de Berini kon mij niet bijhouden,' lacht ze. 'Ik heb gewonnen. Hij moet dus vanavond de afwas doen.' Luuk is verbaasd. Het echtpaar Van Zanten, beiden zestigers en grijs, zitten vol humor. Hij voelt zich helemaal op zijn gemak. Als Van Zanten tien minuten later in zijn lange leren jas binnenstapt, vertellen de leden van de fietsclub dat hij rustig naar huis mag gaan om de aardappelen te schillen. 'Deze knul doet het geweldig als waarnemend museumdirecteur!'

Luuk geniet van de rondleiding die Van Zanten geeft. Wat weet die man veel te vertellen! Tijdens de koffiepauze zegt Luuk dat hij een van de brommers in de werkplaats geprobeerd heeft te starten. 'Ik wist niet of dat mocht.'

Luuk vertelt over zijn vader die hij nooit gekend heeft. 'Van een familielid heb ik gehoord dat mijn vader vroeger op een

crossbrommer reed. Ik wil dat ook graag...'
Van Zanten reageert niet zoals verwacht. Hij zegt dat Luuk nog te jong is voor een brommer.
'Zondag word ik twaalf,' probeert hij nog.
'Je moet zestien zijn...'
'Ja, om op de openbare weg te rijden,' onderbreekt Luuk hem.
'Dat weet ik. Maar ik wil aan een boer vragen of ik op een stuk land mag rijden. Zodat niemand er last van heeft.'
'Je moeder zou er niet blij mee zijn.'
'Wat heeft zij ermee te maken?'
Van Zanten schudt glimlachend zijn hoofd. 'Moeders maken zich altijd zorgen. Jongens op crossbrommers zijn in hun ogen roekeloos.'
Luuk staart verbouwereerd voor zich uit. 'Zal ik hem terugzetten?'
'Dat doe ik wel,' zegt Van Zanten en rept met geen woord meer over de crossbrommer.
Luuk kan zijn teleurstelling nauwelijks verbergen.
Als hij afscheid neemt, vraagt hij of nog eens terug mag komen. Natuurlijk mag dat! Van Zanten zegt dat hij wel eens wat klusjes heeft. Als Luuk weg wil fietsen, ziet hij naast het woonhuis een hondenren. 'Hebt u een hond?'
'Wij hádden een hond.'
'Wat is er mee gebeurd?'
'Lobbes ging dood toen hij een paar weken bij ons was. Het hondenhok was net klaar.'
Luuk weet even niet wat hij moet zeggen en staart naar de grond. 'Nemen jullie een nieuwe?'
'Nee. Zijn plotselinge dood was een grote schok. Lobbes was een lieve hond. We hadden hem uit het asiel gehaald om hem zijn laatste jaartjes bij ons te laten slijten. We hoopten dat hij als waakhond dienst kon doen. Helaas, Lobbes was de goedheid

zelve. In die paar weken dat hij bij ons was, zijn we erg aan hem gehecht geraakt. Hij was echt lief. Je voelde dat hij dankbaar was omdat we voor hem hadden gekozen. Lobbes zag er niet mooi uit. Hij was geen rashond. Opeens werd hij ernstig ziek. Een bacteriële infectie. De dierenarts heeft van alles geprobeerd, maar slaagde er niet in om hem in leven te houden. Heel wrang. Tja, dat hondenhok is nauwelijks gebruikt. Mijn vrouw wil het verkopen. Ze wil dit niet nog eens meemaken.'

'Dat begrijp ik,' zegt Luuk zachtjes. 'Ik weet dat je veel van een hond kunt gaan houden.'

Van Zanten legt glimlachend zijn hand op Luuks schouder. 'Ranger betekent vast veel voor jou.'

'Alles.'

'Waar is de hond nu?'

Luuk legt uit dat hij in een schuur achter de huisartspraktijk logeert. 'Ik moet Ranger met de anderen delen.'

'Dat is toch leuk? Samen wandelen, samen naar het bos...'

'Soms,' antwoordt Luuk neutraal. 'Ik zie er tegenop dat we ook weer een keer afscheid van Ranger moeten nemen.'

'Vreselijk,' knikt Van Zanten.

'Daarom...' Luuk slikt. Zal hij het nog eens vragen? Of zou Van Zanten hem dan een zeur vinden?

'Wat?'

Luuk haalt zijn schouders op en maakt een onbeholpen indruk.

'Het leek me een goed idee dat er iets anders voor in de plaats zou komen.'

'Een andere hond?'

'Een crossbrommer. Dan heb ik iets te doen en mis ik Ranger minder.'

'Ik begrijp het.' Van Zanten kijkt ernstig. 'Maar ik heb al tegen je gezegd dat het rijden op een crossbrommer te veel risico's met zich meebrengt.'

'Ook op een terrein bij de boer?' probeert Luuk.

'De risico's zijn er niet minder om.'

'Hoe oud was u toen u voor het eerst op een brommer reed?'

Van Zanten lacht. 'Veel ouder dan jij.'

'Ik ben niet roekeloos.'

'Dat zei ik ook altijd.'

Luuk weet dat het beter is om nu zijn mond te houden. Hij is teleurgesteld, maar niet ontmoedigd. Over een week zal hij het nog eens vragen. Hij laat zich niet snel uit het veld slaan.

Hij neemt afscheid en fietst door Steindorp naar *De Herberg van oom Teun*. Hij heeft met zijn moeder afgesproken dat hij daar na zessen eet. Het is gebruikelijk dat het personeel om vijf uur met elkaar eet. Luuk is er dan meestal ook, maar sinds hij voor Ranger mag zorgen, regelt Marijke dat hij op een later tijdstip kan eten.

Als Luuk over het marktplein fietst, roept iemand zijn naam. Verbaasd kijkt hij om en ziet Sem en Rosemijn met Ranger tussen hen in. Vlug keert hij om. Ranger blaft uitgelaten. Luuk laat zijn fiets vallen en hurkt voor Ranger die hem met een paar flinke likken over het gezicht begroet.

'We waren naar jou op zoek,' zegt Rosemijn. 'Ranger mist jou. Hij is onrustig. Dus zijn we naar De Herberg gegaan. Jouw moeder wist niet waar je was.'

Ranger mist hem, flitst het blij door hem heen! 'Ik ben in het museum geweest!' flapt Luuk er uit. 'Het was hartstikke gaaf.'

'Naar het museum?' Sem staart hem verbouwereerd aan. 'Dat kon toch wel even wachten?'

Luuk krijgt een kleur. Hij heeft zichzelf verraden. Wat stom! 'Ik was het niet van plan,' stamelt hij.

'Wilde je liever zonder ons?' vraagt Sem.

'Doe niet zo achterlijk,' snauwt Luuk. 'Als jullie willen, gaan we er morgen met elkaar naartoe. Zullen we dat afspreken? Dan bel ik meneer Van Zanten.'

Sem is boos en klemt zijn kaken demonstratief op elkaar.

'Ik vind het best,' mompelt Rosemijn na een tijdje. Ze kijkt vragend naar Sem.

Maar die voelt er niets voor. Hij voelt zich belazerd.

'Kom op,' probeert Rosemijn. 'Jij wil dat museum ook graag zien.'

'Ik vermaak me morgen wel met Ranger.'

'Doe niet zo kinderachtig,' moppert Luuk.

'Ik?' Sem kijkt Luuk woedend aan. 'Weet je wie er kinderachtig doet? Jij!' Hij trekt Ranger met zich mee en steekt de straat over.

'Eigen schuld,' mompelt Rosemijn en loopt achter Sem aan.

Hoofdstuk 13

RANGER WEG?

'Jij leert het nooit,' verzucht Marijke. Ze tuurt door het keuken-raam naar buiten.

Otto, de kok, roert met een pollepel in een pan met ragout. Hij schreeuwt iets naar Tarkan, de leerling-kok.

'Wat leer ik nooit?' vraagt Luuks bits.

'Dat je zuinig op je vrienden moet zijn.'

Luuk spert zijn ogen wijd open en gaat achter zijn moeder staan, zodat de anderen in de keuken het gesprek niet kunnen volgen.

'Weet je wat dat betekent?' Marijke draait zich langzaam om. 'Nou?'

Luuk likt met zijn tong langs zijn droge lippen. Daagt zijn moe-der hem uit? Dát kan ze beter niet doen! Maar de boosheid die in hem opkomt, ebt weg als hij haar aankijkt. Is ze verdrietig om hem? De blik in haar ogen brengt hem opeens in verwar-ring. Hij kijkt vlug de andere kant op.

'Wil je dat uitleggen, Luuk?' vraagt ze zacht.

'Zuinig zijn op vrienden,' herhaalt hij met tegenzin, 'betekent dat je afhankelijk moet zijn.'

'Dat is niet waar.'

'Als je een vriend wilt houden, moet je doen wat de ander wil.'

'Onzin.'

'Ik wil doen wat ik wil.'

'Dan ben je altijd alleen.'

'Heb jij daar dan last van?' snauwt Luuk.

'Het is leuk wanneer je met anderen van dezelfde dingen kunt genieten.'

'Dat hoeft voor mij niet.'

Marijke zwijgt.

Luuk durft haar niet aan te kijken. Ze is verdrietig, omdat hij vaak alleen is. Ze zou graag willen dat hij een groep vrienden om zich heen heeft. Vrienden waar hij mee kan praten, lachen en die hem helpen op moeilijke momenten. Maar het enige waar Luuk goed in is, is mensen van zich afstoten.

'Wat ga je doen?' vraagt Marijke na een korte stilte.

'Naar huis.'

'Tafel negen kan afgeruimd worden,' roept Patrick als hij met veel lawaai door de klapdeur verdwijnt.

'Ik kom er aan!' antwoordt Marijke. Ze pakt Luuk bij de pols vast. 'Ik ben vanavond vroeg thuis.'

Luuk maakt zich los.

'Maak het alsjeblieft weer goed met Rosemijn en Sem.'

Luuk maakt een onwillig gebaar.

'Nodig ze uit voor je verjaardag.'

'Never nooit.'

'Doe niet zo koppig.'

'Ik wil geen mensen op mijn verjaardag.'

Luuk loopt de keuken uit. Hij ritst zijn jas dicht en fietst weg.

Zuinig zijn op je vrienden... Marijkes woorden blijven in zijn hoofd rondspoken.

Luuk begrijpt wat ze bedoelt. Door stomme ruzies raakt hij iedereen kwijt. De ene na de andere teleurstelling stapelt zich op. Het doet hem steeds minder. Nou ja... Vanaf het begin vond hij het niks om Ranger met Sem en Rosemijn te delen.

Luuks maag trekt samen. Hij verlangt naar Ranger.

Het is half acht.

Luuk besluit om op het laatste moment linksaf te gaan, naar Sems huis. Vanuit zijn ooghoek ziet hij dat zijn moeder hem nakijkt. 'Denk maar niet dat ik ga slijmen,' fluistert hij.

Luuk voelt zich ongemakkelijk als hij langs de praktijk naar de achtertuin fietst. Hij kijkt schichtig om zich heen en hoopt dat niemand hem ziet. Zijn gezicht betrekt als hij Rosemijns fiets tegen de heg ziet liggen.

Hij opent het hek en sluipt voorzichtig de tuin in.

Hoe zullen ze reageren? Verbaasd, omdat hij het lef heeft om te komen?

Als hij Ranger wil zien, dan komt hij. Punt uit!

Uit de schuur klinkt gestommel. Sem loopt langs het raam met zijn mobiele telefoon in zijn hand.

'Wat zei ze?' hoort hij Rosemijn vragen.

'Ze denkt dat hij hiernaartoe komt,' antwoordt Sem terwijl hij naar de deur loopt.

Luuk haast zich naar de zijkant van de schuur.

Praten ze over hem?

Wie heeft er gebeld om te zeggen dat hij zou komen?

Luuk sluit zijn ogen en probeert na te denken. Het bloed trekt uit zijn gezicht weg als het tot hem doordringt dat het waarschijnlijk zijn eigen moeder is. Speelt zij onder één hoedje met Sem en Rosemijn? Even lijkt de grond onder zijn voeten weg te zakken. Kan hij zelfs zijn moeder niet vertrouwen?

Luuk heeft een deel van het gesprek gemist, omdat hij met zijn eigen gedachten bezig was.

'Ik moest wel lachen,' zegt Rosemijn. 'Meestal word ik boos als Luuk irritant doet. Vanmiddag was het omgedraaid. Ik wist me te beheersen en jij werd kwaad.'

'Ik snap niet dat Luuk achter onze rug om naar dat museum is gegaan. Het leek me juist zo leuk om samen te gaan.'

Luuk perst zijn lippen op elkaar. Sem had graag met hem naar het museum gewild. Dat hoort Luuk aan de manier waarop hij dit zegt.

Tja, Sem weet niet hoe het voelt om altijd achter het net te vissen. Bijna iedere keer als Luuk iets leuks in het vooruitzicht heeft, gaat het niet door. Logisch toch dat hij dit soort situaties wil vermijden?

'Vertellen we hem dat Ranger hier weg moet?' vraagt Rosemijn.

Luuks hart slaat een slag over. Waar heeft ze het over? Ranger weg? Weg?

Luuk wil naar de deur lopen, maar houdt zich in.

'We moeten iets anders bedenken,' antwoordt Sem.

'Je wil het Luuk niet vertellen?'

Sem mompelt instemmend. 'Morgen moeten we een goed plan bedacht hebben.'

De rest van het gesprek kan Luuk niet horen. Het bloed bonkt aan de zijkanten van zijn hoofd.

'Ranger! Hierrr!' commandeert Sem. 'We gaan een wandelingetje maken. Misschien komen we Luuk tegen.'

Als Ranger Luuks naam hoort, begint hij te blaffen.

Luuk kan zich niet meer inhouden en stuift naar de schuurdeur. Hij zal ze...! Maar de deur zwaait open voordat Luuk de klink vastheeft. Plotseling staan Sem en Luuk oog in oog met elkaar.

'Hallo,' mompelt Sem geschrokken.

Ranger springt met zijn voorpoten tegen Luuks borst.

Luuk voelt zich sterk nu hij bij de hond is. Hij kijkt Sem en Rosemijn aan. 'Ik moet wat zeggen.'

'Waar gaat het over?' reageert Sem nors.

Luuk buigt voorover en geeft Ranger een aai. 'Ik heb geen zin in ruzie.'

'Waarom ben je niet eerlijk geweest?'

'Alsof jullie eerlijk zijn!' reageert Luuk fel.

'Begin je weer?' zucht Rosemijn. 'Je bent zo snel kwaad.'

'Sorry,' mompelt Luuk.

Sem maakt een uitnodigend gebaar naar binnen.

Luuk stapt zwijgend over de drempel. Ranger volgt hem op de voet. Rosemijn ploft in de stoel naast het tafeltje. Sem doet de deur dicht.

'Wij willen ook geen ruzie,' begint Sem.

'Ik zou het fijn vinden om morgen met elkaar naar het museum te gaan. Van Zanten kan prachtig vertellen. Jullie zullen het fantastisch vinden.'

'Overmorgen,' zegt Sem, zonder Luuk aan te kijken. 'Morgen kan ik niet.'

'Ik ook niet,' mompelt Rosemijn vlug.

Luuks maag knijpt samen. 'En Ranger dan?' vraagt hij langzaam.

'Daar mag jij de hele middag op passen.'

'Ik?' Luuk kijkt hen wantrouwend aan, maar vraagt niets. 'Prima.'

Hoofdstuk 14

ZWARTE TENT

Luuk begrijpt niet waar Sem en Rosemijn mee bezig zijn. En wat hem nog het meest stoort is dat zijn moeder erbij betrokken is. Gisterenavond heeft hij geprobeerd haar uit te horen, maar ze liet niets los. Marijke had door dat Luuk haar uit de tent probeerde te lokken, dus gaf ze het gesprek een draai en begon over de waarde van vriendschap te praten. Dat zou een heleboel aan zijn leven toevoegen, als hij er maar voor zou openstaan...

'Ik ben anders dan jij.'

Marijke schudde haar hoofd. 'Iedereen wil graag bij "de anderen" horen.'

Luuk snoof luidruchtig. Altijd hetzelfde gezeur.

'Waarom zeg je niets?'

'Het is beter om ervoor te zorgen dat niemand in mijn leven belangrijk wordt.'

'Alles is belangrijk in je leven.'

'Als je om niemand geeft, raak je niemand kwijt.'

'En hoe zit dat dan met Ranger?'

'Dat is lastig,' gaf hij toe.

'Je geeft om Ranger.'

'Stomme opmerking,' antwoordde hij boos.

Zodra zij over Ranger begon, voelde hij zich ongemakkelijk omdat hij zijn best moest doen zijn verdriet te verbergen.

Luuk haalt diep adem. Sem en Rosemijn zoeken het maar uit.

Hij wil er niet meer over nadenken. Vanmiddag is Ranger van hem alleen!

Op zijn dooie gemak slentert hij door de tuin. Sem stoeit met Ranger in de schuur. Als Luuk in de deuropening verschijnt, springt Ranger meteen over de tafel, waardoor een klapstoel omvalt.

'Rothond,' grijnst Sem geschrokken.

'Een vreselijk lieve rothond,' verbetert Luuk lachend en aait Ranger.

'Ga je vanmiddag iets speciaals doen?' vraagt Sem nieuwsgierig.

'Spoorzoeken,' antwoordt Luuk, maar ondertussen denkt hij: waarom wil je dat weten?

'Ga je niet naar de oude villa aan de overkant van de rivier, met Ranger?'

'Daar zouden we toch samen naartoe gaan?'

Sem knikt. 'Volgende week?'

'Mij best. Die spoken lopen niet weg,' grapt Luuk en voor de zoveelste keer vraagt hij zich af wat Sem en Rosemijn vanmiddag gaan doen. Maar hij houdt zijn kaken op elkaar. Wat maakt het uit? Hij wil er een fijne middag van maken. Samen met Ranger.

Het gesprek tussen Sem en Luuk vlot niet erg. Als Sem zegt dat Ranger de afgelopen nacht niet gejankt heeft, vertelt Luuk dat het echtpaar Van Zanten een hond heeft gehad die na een paar weken doodging.

'Ze hadden net een hok met een hondenren voor hem laten timmeren.'

'Ja, zoiets kan gebeuren,' antwoordt Sem ongeïnteresseerd.

Luuk trekt zijn wenkbrauwen omhoog vanwege de vreemde reactie.

'Ga je naar het speelveld?'

'Ik zie wel.' Luuk gespt de riem vast aan de halsband en kijkt door het raam naar buiten.

Een kwartier later wandelt Luuk met Ranger over een land-weggetje naar het bos. Het voelt vreemd om zonder Sem en Rosemijn met de hond te wandelen.

Zouden Rosemijn en Sem nog contact hebben met zijn moeder?

Marijke probeert waarschijnlijk achter zijn rug om de ruzies te sussen. Ze wil graag dat hij vrienden heeft. Ze heeft zoiets al vaker gedaan. Ze bedoelt het goed, maar hij wil dat ze daarmee ophoudt. Hij kan zijn eigen boontjes wel doppen. Het voelt niet prettig dat er achter zijn rug om dingen besproken worden.

Dat hij hier alleen met Ranger loopt, klopt niet. Sem en Rosemijn vinden het net als hij gaaf om met Ranger te wandelen. Waarom ze niet mee kunnen is voor hem een raadsel. Een ding is zeker: Sem en Rosemijn zullen er niet in slagen om hem bij Ranger weg te houden.

Luuk weet niet wat hij in het bos zal aantreffen.

Er gaat een zenuwachtige kriebel door zijn buik. De gedachte dat er op die plek iets gebeurd is wat het daglicht niet kan verdragen, overheerst.

Hij loopt via een greppel tussen de bosrand en de weilanden door. Opeens blijft hij staan en trekt Ranger naar zich toe. De hond kijkt hem vragend aan.

'Ga zitten,' fluistert Luuk.

Ranger doet meteen wat Luuk zegt.

Luuk verwondert zich vaak over Rangers gehoorzaamheid. Het moment dat ze hem in de donkere kelder van de leegstaande villa aantroffen, was bizar. Ranger lag aan de ketting en ze wisten welk risico ze liepen toen ze naar de herdershond liepen. De kans dat die wildvreemde hond hen zou aanvallen was groot. Hij had een paar dagen in een donkere ruimte aan een ketting vastgezeten en was misschien mishandeld. Hij zou geen mens meer vertrouwen!

Maar het tegendeel bleek waar. Ranger toonde zijn dankbaarheid en dat is een uitzonderlijke reactie. De meeste honden reageren heel anders als ze zo'n angstige periode hebben meegemaakt.

Vanaf dat moment weet Luuk dat Ranger een betrouwbare hond is.

Met zijn ogen samengeknepen tot smalle spleetjes tuurt hij over het weiland. Hij zoekt het huis van meneer Van Zanten en de daarnaast gelegen loods.

In een flits meent hij twee kinderen over het erf te zien fietsen.

Sem en Rosemijn?

'Wacht!' commandeert Luuk als Ranger twee kraaien, die op de grond naar voedsel zoeken, wil wegjagen. Luuk draait de riem een paar keer om zijn hand. 'Hier blijven.'

Er beweegt niets op het erf. Hij heeft zich vast vergist. Sem en Rosemijn hebben niets te zoeken bij Van Zanten.

Luuk en Ranger lopen verder. De kraaien vliegen met veel protest weg.

'Alsof het bos alleen van jullie is,' mompelt Luuk.

Hoe dichter hij de plek nadert, hoe langzamer hij gaat lopen. Hij voelt zich niet prettig. Af en toe kijkt hij opzij, naar de loods in de verte.

Stel dat Sem en Rosemijn bij Van Zanten zijn?

Ranger blaft luid.

Luuk schrikt. 'Wat is er? Zie je iets?'

Ranger trekt aan de riem. Hij wil verder.

Dreigt er gevaar?

Luuk geeft de herdershond het sein dat hij mag doorlopen en houdt zijn adem in als hij recht op de plek afloopt waar gisteren iemand achter de struiken wegdook.

Er kan niks gebeuren, prent hij zichzelf in, want Ranger beschermt en verdedigt mij.

Ranger lijkt een spoor te volgen, maar tot Luuks verbazing gaat hij opeens met een omweg naar de bewuste plek.

'Rustig...' fluistert Luuk.

Luuk blijft achter een paar struiken staan en luistert aandachtig.

Een windvlaag waait door de boomtoppen. Bladeren ritselen onrustig. In de verte klinkt de akelige schreeuw van een Vlaamse gaai.

Luuk wacht een paar tellen, om er zeker van te zijn dat de kust veilig is. Dan duwt hij twee struiken uit elkaar en wurmt zich met Ranger tussen de takken door.

Plotseling blijft Ranger doodstil naast hem staan. Ziet de hond iets wat Luuk niet ziet?

Dan loopt Ranger opeens naar de andere kant. Luuk holt met hem mee. Ze slingeren tussen de struiken door, verder het bos in.

Na ongeveer honderd meter begint Ranger te blaffen. Hij probeert Luuk iets duidelijk te maken.

'Ssst,' waarschuwt Luuk. Hij kijkt om zich heen, maar ziet niets. Langzaam loopt hij verder.

Luuk hoort een zacht geluid achter zich en draait zich met een ruk om.

Niemand te zien!

Er verschijnen kleine zweetdruppeltjes op zijn voorhoofd. Zijn hart gaat als een razende tekeer.

Waarom blaft Ranger?

Opeens ziet Luuk waar Ranger naar kijkt. Verderop is tussen de bomen een groot stuk zwart landbouwplastic gespannen.

Voetje voor voetje loopt Luuk er met de hond naartoe en ontdekt dat er achter het zwarte plastic een tent schuilgaat.

Ranger wil erheen, maar Luuk houdt hem tegen.

'Is daar iemand?' vraagt hij.

Er komt geen reactie.

Uit de manier waarop Ranger speurt, maakt Luuk op dat er geen mensen zijn. Anders zou Ranger zeker geblaft hebben.

Zal hij even in de tent kijken?

Hoofdstuk 15

VERBIJSTERING

Luuk legt zijn hand op de kop van de hond en probeert te ont-dekken wat Ranger ziet. 'Is daar iemand?'
De hond zit doodstil, maar is waakzaam.
Bespeurt hij onraad?
Het ziet er naar uit dat er geen acuut gevaar dreigt. Toch is er iets aan de hand.
Schichtig kijkt Luuk om zich heen.
Iemand houdt hem in de gaten! Luuk wordt met de seconde banger. Misschien heeft iemand zich in een boom of greppel verstopt?
Ranger maakt zachte, ongeduldige piepgeluiden.
Resoluut stapt Luuk naar voren. Hij buigt zich voorover en ziet dat de ingang van de tent met zwart plastic is afgedekt. Het landbouwfolie dient als camouflage!
Luuk heeft wel eens gezien dat soldaten hun tenten in het bos opzetten, maar deze tent is niet van soldaten.
Hoelang zou iemand zich hier al schuilhouden?
Allerlei gedachten schieten door Luuks hoofd. Misschien woont er een zwerver of een uitgeprocedeerde asielzoeker, of iemand die van huis is weggelopen of een ontsnapte gevangene...
Voorzichtig, om zo weinig mogelijk geluid te maken, schuift Luuk het plastic opzij. De ingang van de tent is niet afgeslo-ten. Luuk pakt de onderkant van het tentdoek vast en tilt het omhoog.
Zijn ogen moeten wennen aan het schemerdonker. Ranger pro-

beert naar binnen te glippen, maar Luuk heeft de riem stevig in zijn hand geklemd.

In een hoek ziet hij een uitgerolde, smoezelige slaapzak liggen met daarop een oude rugzak. In een kistje vlakbij de ingang liggen kaarsen, lucifers en een zaklamp. Voor de rest is de tent leeg. Zelfs een grondzeil ontbreekt. Luuk neemt alles goed in zich op. Dan laat hij het tentdoek terugvallen en schuift het plastic terug.

'Kom, Ranger,' fluistert Luuk, 'we gaan terug.'

Luuk loopt steeds sneller, alsof hij op de hielen wordt gezeten door een onzichtbare gedaante. Ranger volgt geruisloos.

Als Luuk weer terug is bij het weiland haalt Luuk opgelucht adem. Dan besluit hij naar Van Zanten te gaan om te vertellen wat hij in het bos heeft aangetroffen. Dan kan hij meteen controleren of Sem en Rosemijn een bezoek aan het museum hebben gebracht.

'Ranger is braaf!' zegt hij en pakt een tak van de grond. 'Je hebt goed geluisterd.'

Ranger blaft vrolijk als hij ziet wat Luuk in zijn hand heeft. Hij weet wat er gaat gebeuren. Luuk maakt de riem los en slingert de tak een eind het weiland in. Ranger gaat er als een speer vandoor en brengt de stok binnen tien tellen terug.

De weg door het weiland leggen ze in een hoog tempo af.

Een keer blijft Luuk staan om naar het bos te kijken.

Wanneer Luuk vlakbij is, hoort hij mensen praten en ziet hij iemand naar de zijkant van het museum lopen om zijn fiets te pakken. Als die figuur Luuk ziet aankomen, verdwijnt hij snel om de hoek.

Luuk fronst zijn voorhoofd. Wat heeft dit te betekenen?

Het praten verstomt.

Hij roept Ranger en doet hem aan de riem.

Van Zanten komt Luuk met grote passen tegemoet.

'Ha die Luuk!'

Luuk reageert verbouwereerd. Van Zanten loopt snel, alsof hij wil voorkomen dat Luuk doorloopt.

Hoort hij gefluister?

Van Zanten vraagt honderduit over Ranger.

Dit is een afleidingsmanoeuvre! denkt Luuk. Ik heb hem wel door.

Onopvallend probeert hij over de schouder van meneer Van Zanten te kijken en vraagt ondertussen of er bezoekers in het museum zijn.'

'Ze zijn net vertrokken.'

'Sem en Rosemijn?'

Van Zanten kijkt hem niet-begrijpend aan.

'Volgens mij zag ik Sem en Rosemijn wegfietsen.'

'Die vrienden van jou? Nee, die zijn hier niet geweest,' antwoordt Van Zanten met afgewende blik, 'maar ze zijn uiteraard van harte welkom.'

Luuk vraagt niets meer. Hij weet dat Van Zanten liegt. Er gebeurt iets buiten hem om. Dat voelt akelig.

'Ben je in het bos geweest?'

'Ja,' antwoordt Luuk met tegenzin. 'Hebt u de laatste tijd iets vreemds gezien?'

'Of ik iets vreemds heb gezien?' herhaalt Van Zanten verbaasd. 'Je lijkt wel een rechercheur uit een politiefilm.'

Luuk vertrekt geen spier. Hij kijkt Van Zanten aan en wijst met zijn duim naar de bosrand. 'Daar, in het bos.'

Van Zanten staart in gedachten over de weilanden. 'De laatste tijd heb ik weinig boswandelingen gemaakt.' Hij wrijft over zijn onderbeen. 'Twee maanden geleden kreeg ik last van een scheurtje in mijn kuitspier.'

'U hebt nooit iets vreemds gezien?'

Hij neemt Luuk onderzoekend op. 'Waarom stel je die vraag?'

'Er staat een oude tent in zwart landbouwplastic gewikkeld.'
'Een tent? Van een zwerver?'
Luuk kijkt Van Zanten aan. 'Zou kunnen.'
'Er is mij nooit iets opgevallen.'
'Een onbekende wandelaar die u opeens vaak tegenkomt?'
'Ik zou het mijn vrouw kunnen vragen.'
'Dat hoeft niet,' mompelt Luuk. 'Ik vroeg me alleen af waarom iemand daar kampeert.'
'In Nederland mag je alleen op een camping kamperen.' Van Zanten steekt zijn handen in zijn broekzakken en staat wijdbeens voor Luuk. 'Denk je dat er iets niet in de haak is?'
Luuk knikt.
'Zullen we gaan kijken?'
'Nu?' Luuks ogen lichten op.
Van Zanten zegt dat hij dat eerst tegen zijn vrouw wil zeggen.
Het kost Luuk moeite om Ranger bij zich te houden. De hond wil steeds weglopen.
'Wat is er toch?' vraagt Luuk. 'Ga eens zitten. Goedzo. Ruik je iets?'
Ranger blaft.
'Spoorzoeken?' Luuk kijkt Ranger vragend aan.
Van Zanten, die op het punt staat naar het woonhuis te lopen, bedenkt zich en blijft staan.
Ranger springt onverwachts naar voren waardoor Luuk een halve meter naar voren schiet en pijnlijk over zijn schouder wrijft.
'Je mag wel uitkijken,' grinnikt Van Zanten. 'Voor je het weet, word je gelanceerd.'
'Ranger heeft veel kracht,' zegt Luuk, terwijl hij met Ranger meeloopt.
De herdershond volgt een spoor langs de zijkant van het museum en snuffelt op de plaats waar Luuk vijf minuten geleden

iemand op een fiets zag weggaan.

'Hij ruikt iets bekends,' mompelt Luuk.

Het spoor loopt naar de voorkant van het museum. Ranger scharrelt over het erf en blijft dan bij de ingang van het museum staan.

'Er komen hier veel bezoekers,' mompelt Van Zanten. 'Hij zal wel allerlei geuren door elkaar ruiken.'

'Ranger herkent een duidelijk geurspoor,' zegt Luuk en perst zijn lippen op elkaar.

Sem en Rosemijn zijn hier geweest. Dat kan haast niet anders. Maar het heeft geen zin om dat tegen Van Zanten te zeggen. Hij zal het ontkennen.

Van Zanten heeft opeens haast en stapt zijn huis binnen om zijn vrouw te vertellen dat hij met Luuk naar het bos gaat.

Luuk wacht bij het hek. Ranger zit naast hem op de grond.

Als ze even later door het weiland lopen, vertelt Van Zanten over de ontwikkeling van een bromfiets.

'In het begin werd er een kleine hulpmotor op de fiets geplaatst.'

Luuk luistert wel, maar neemt nauwelijks iets in zich op. Het lijkt wel of er een zware steen in zijn maag zit. Voor de zoveelste keer heeft hij ontdekt dat die zogenaamde vrienden van hem achter zijn rug om met andere dingen bezig zijn.

Als ze de plek naderen waar de tent staat, gaat er een schok van verbijstering door Luuk heen.

'Wat is er?' vraagt Van Zanten bezorgd.

'De tent... is weg,' stamelt Luuk.

Hoofdstuk 16

MEER DAN JE DENKT

Meneer Van Zanten en Luuk staan stilletjes naast elkaar.
Luuk snapt er niets van.
'Was het niet aan de andere kant?'
'Nee!' antwoordt Luuk. 'Ik weet het zeker.'
'Je kunt je echt vergist hebben?'
'Nee, ik weet het honderd procent zeker. De tent stond op deze plek.'
Van Zanten legt zijn hand op Luuks schouder. Hij heeft met de jongen te doen.
Luuk loopt naar voren en wijst naar de grond. 'Kijk. Dat zijn voetsporen van Ranger en mij.' Zijn ogen dwalen rond. 'Alles is weg. Opgeruimd! Dat kan gewoon niet.'
'Het kan wel. Dat zie je.'
Luuk loopt over de plek waar de tent stond. Nergens is een touwtje of een flintertje zwart plastic te bekennen. 'Ik begrijp er niets van.'
'Zet Ranger aan het werk.'
'Ranger?' Luuk haalt zijn schouders op. 'Hoe?'
'Laat hem een geurspoor volgen.'
Luuk trekt Ranger mee naar het midden. 'Welke geur? Ik bedoel...' Luuk maakt zijn zin niet af en geeft Ranger het commando 'zoeken'.
De herdershond lijkt zich nergens voor te interesseren.
'Hij ruikt niets bijzonders,' mompelt Luuk teleurgesteld.
Op de grond zijn geen sporen te zien van haringen waarmee

89

de tentlijnen vastzaten. Zelfs het gras is niet verkleurd op de plek waar de tent stond. Er is niets dat er op wijst dat hier kortgeleden een tent heeft gestaan.

Van Zanten stelt voor op andere plaatsen in het bos te gaan zoeken. Maar Luuk wil dat niet. Hij weet zeker dat ze hier op de juiste plek zijn.

'U verklaart me voor gek.'

'Dat hoor je mij niet zeggen,' mompelt Van Zanten een beetje boos.

'U gelooft me niet.'

'Het is wel een merkwaardig verhaal.'

'Het is echt waar...'

Van Zanten wrijft in zijn handen. 'Kom, we maken een klein ommetje.'

Ze doorzoeken de strook langs de weilanden, maar vinden niets.

Het zit Luuk behoorlijk dwars. Waar is die tent nou gebleven? Op de terugweg slaakt hij een diepe zucht.

'Probeer het maar te vergeten,' adviseert Van Zanten.

'Vergeten,' schampert hij. 'Alsof dat zomaar kan.'

'Toegegeven,' lacht Van Zanten. 'Als de eerste motorfiets van Giovanni Parillia op mijn erf zou staan, dan zou ik van geluk een gat in de lucht springen en meteen mijn vrouw ophalen om hem aan haar te laten zien. Mocht de motor vervolgens verdwenen zijn, dan zou ik er een paar nachten van wakker liggen.'

'Dat bedoel ik.'

Luuk vraagt of Ranger een bak met water mag. Dat wordt meteen geregeld. Hijzelf krijgt een glas limonade.

Mevrouw Van Zanten is door haar man ingelicht over de mysterieuze gebeurtenis.

'We zullen het in de gaten houden,' belooft ze als Luuk afscheid neemt. 'Maar meestal worden raadsels niet opgelost.'

Luuk wil richting Steindorp lopen, maar bedenkt zich en gaat terug naar het bos met duizenden vragen in zijn hoofd.

Hij neemt exact dezelfde route. Als Ranger blaft, schrikt Luuk. Hij kijkt schichtig om zich heen.

'Wat nu weer?' prevelt hij en probeert de hond tevergeefs te kalmeren. 'Oké...' fluistert Luuk angstig. 'Zoek!'

Ranger baant zich een weg door het struikgewas. Het leer van de riem snijdt in Luuks hand, zonder dat hij het merkt. Ingespannen tuurt hij om zich heen.

Luuk voelt zich behoorlijk veilig omdat Ranger naast hem loopt. Af en toe kijkt hij achterom. Je weet maar nooit of iemand hem volgt.

Toen Luuk de tent ontdekte, voelde hij dat iemand naar hem keek. Iemand die zich in de buurt van de tent ophield.

De man *weet* dus dat iemand op de hoogte is van zijn schuilplaats.

Luuk huivert. Zou hij gevaar lopen? Waarom heeft die man een schuilplaats in het bos?

Ranger rent dwars door het bos. Dan blijft hij opeens tussen twee bomen staan. Zijn tong hangt scheef uit zijn bek. Hij kijkt Luuk aan, alsof hij wil zeggen: dit is wat je zoekt.

'Goed zo,' piept Luuk benauwd. Hij schuift zijn vingers onder de halsband.

Ranger draait zijn kop onrustig in het rond.

Ruikt hij iemand?

Luuk gaat op zijn tenen staan om over een hoge braamstruik te kunnen kijken. Er gaat een schok door hem heen. 'Niet te geloven,' mompelt hij.

Met trillende vingers houdt hij Ranger vast en staart naar het zwarte plastic dat tussen de bomen is gespannen.

Alles is terug op precies dezelfde plek! Wat is hier aan de hand?

Is hij bezig gek te worden?

Een vreemde, onwezenlijke stilte gonst om hem heen. Hij lijkt in een wereld te zijn terechtgekomen waarin geluiden en gevoelens bestaan die hij niet kent.

Ongerustheid golft vanuit zijn buik omhoog.

'Hallo!' roept Luuk en hij schrikt van zijn eigen stem.

Voetje voor voetje schuifelt hij een halve meter vooruit.

Zijn hoofd doet raar.

Is dit een droom of is hij wakker?

Plotseling hoort hij een doffe bons.

Ranger spitst zijn oren, maar blaft niet.

In een flits merkt Luuk dat Rangers waakzame blik plaats heeft gemaakt voor een rustige uitstraling. Hoe kan dat nou?

'Hallo, is daar iemand?'

Datzelfde moment steekt iemand zijn arm tussen het plastic door.

Luuk deinst achteruit en kijkt met grote ogen toe. Ranger blijft roerloos zitten.

Een oudere man in een donkerblauw uniform stapt voorover-gebogen naar voren. Hij schuift het plastic zorgvuldig dicht zodat de tent onzichtbaar blijft en zet een pet op zijn hoofd.

Er lopen ijskoude rillingen langs Luuks rug.

De man trekt zijn uniformjasje recht, draait zich om en gaat kaarsrecht tegenover Luuk staan.

Hij lijkt op een vogel, denkt Luuk.

Dunne lippen, een kin die naar achteren wijkt en een lange, puntige neus.

'Ik woon hier,' zegt de man. Zijn stem lijkt van heel ver weg te komen.

'Waarom?' Luuk probeert zijn ademhaling onder controle te krijgen.

Langzaam plooit er zich rond de dunne lippen een glimlach.

Hij heft zijn armen vragend omhoog. 'Het is een tijdelijk verblijf.'

De ogen van de man vallen weg in de schaduw van de glimmende klep. De naargeestige bleekheid van zijn huid staat in schril contrast met het donkerblauwe uniform.

'Bent u van de politie?'

De man schudt glimlachend zijn hoofd. 'Dit uniform is van de busmaatschappij waar ik voor werkte.'

'U bent buschauffeur.'

'Geweest.'

'Waarom bent u hier?'

'Waarom ben jij hier?'

'Ik ontdekte uw tent.'

'Daarom ben ik hier.'

Luuk fronst zijn voorhoofd. Hij begrijpt het antwoord niet.

'Om toevallig ontdekt te worden,' zegt de chauffeur. 'Door jou.'

Luuk lacht onzeker. 'U wist helemaal niet dat ik vandaag naar het bos zou gaan.'

'Nee?' De chauffeur trekt een verbaasd gezicht.

Hoofdstuk 17

NOOIT ZOMAAR

Luuk kijkt met een schuin oog naar Ranger die doodstil naast hem op de grond zit. Verbaasd vraagt hij zich af waarom Ranger niet op deze man reageert. Alsof hij vanaf een afstand ruikt dat er geen dreiging van deze zonderlinge buschauffeur uitgaat. Sinds Rosemijn, Sem en Luuk de hond verzorgen, gromt hij steeds gevaarlijk wanneer anderen te dicht in de buurt komen. Hij laat dan duidelijk merken de drie kinderen te beschermen. Ranger lijkt deze onbekende man volkomen te negeren.
Hoe kan dat?
Wat Luuk ook bedenkt, een logisch antwoord vindt hij niet.
'U kon niet weten dat ik naar het bos zou gaan,' zegt Luuk nog eens.
'Ik weet meer dan jij denkt.'
'Maar niemand kan weten wat ik denk. Toch?'
Als de man glimlachend zijn hoofd naar achteren beweegt, probeert Luuk tevergeefs een glimp van zijn ogen op te vangen. Wat luguber! Het lijkt wel alsof hij geen ogen heeft!
Waarom besnuffelt Ranger hem niet? Waarom blijft Ranger rustig zitten, alsof er niets aan de hand is?
'Hij vertrouwt mij.'
'Huh?' Luuk verstijft. Gaf de buschauffeur een antwoord op de vraag die Luuk niet stelde? Met opgetrokken wenkbrauwen kijkt Luuk hem aan. Kan hij gedachten lezen?
'Jouw hond vertrouwt mij.'
'Hoe weet u wat ik denk?'

De buschauffeur schuift zijn pet een stukje naar achteren en kijkt Luuk zwijgend aan. Hij geeft geen antwoord.

'Ik wil graag weten of u vanmiddag weg bent geweest? Ik bedoel...' Luuk strijkt met zijn vingers door zijn stekeltjeshaar.

'Ik heb de tent gezien, maar toen ik een halfuur later terugkwam was alles weg.'

'Onmogelijk.'

'Neemt u mij in de maling?'

'Een beetje,' geeft hij toe.

'Waarom?' Luuk stoort zich aan de pet die schuin naar voren is getrokken, waardoor hij de ogen van de man niet kan zien.

'Het is een poging om jou te laten nadenken.'

Luuk maakt een schamper geluid.

'Niet dat je nooit nadenkt...' gaat de man verder.

'Ik denk altijd,' zegt Luuk, duidelijk op zijn teentjes getrapt. 'Ik doe niet anders.'

'Soms moeten mensen leren *anders* te denken.'

Luuk fronst zijn voorhoofd. Het gesprek begint hem te vervelen. Waar gaat het eigenlijk over?

'Hoe zit dat met die tent?'

'Het gaat erom hoe je naar de dingen kijkt,' antwoordt de chauffeur nadrukkelijk.

'Dat zal wel,' mompelt Luuk geërgerd. 'Er waren zelfs geen sporen te zien en nu staat de tent er weer.'

'Is het belangrijk of nodig om alles te kunnen verklaren?'

Luuk heeft zijn buik vol van die vage antwoorden. 'Hoezo, heb ik me vergist?'

'Ik zou het kunnen uitleggen, maar dat is een ingewikkeld verhaal. Goochelaars en illusionisten leggen hun trucs niet uit, dus doe ik dat ook niet.'

'U bent geen goochelaar.'

'Nooit geweest.'

'Het was dus een truc?' Opeens gaan Luuks gedachten naar Sem en Rosemijn. Hij mist ze. Waren ze maar bij hem, dan zou hij zijn ervaring met hen kunnen delen. 'Ik vind het wonderlijk.'

'Wat? Dat ik in een tent woon?'

'Ook.' Luuk knikt verward omdat de man zijn gedachten weet.

'Alles heeft een reden.'

'Bent u een zwerver?'

'Ik ben een reiziger.'

Ranger tilt zijn kop op en kijkt Luuk aan.

'Lieve hond,' mompelt de man.

Luuk werpt een heimelijke blik in zijn richting. De stem van de man klinkt ongewoon zacht.

'Ranger is mijn allerbeste vriend.'

'Ranger. Een mooie naam.'

'Die heb ik zelf bedacht.'

'Een Engelse naam?'

Luuk knikt.

'Waarom?'

'Eigenlijk heet hij Remo, maar dat vind ik een suffe naam. Daarom heb ik een nieuwe bedacht.' Terwijl Luuk enthousiast over Ranger vertelt, aait hij de hond onafgebroken over zijn kop. 'In Amerika en Canada hebben ze *park rangers* en *forest rangers*.'

'Mensen die een oogje in het zeil houden in natuurgebieden. Wij noemen ze boswachters.'

'Klopt,' beaamt Luuk. 'Ranger betekent zoiets als beschermer of verdediger.'

'Dus die hond verdedigt en beschermt jou. Hoe weet je dat zo zeker?'

'Gewoon… dat weet ik.' Luuk knijpt zijn ogen samen.

Wat een domme vraag.

'Een hond kan niet praten.'

'Toch weet ik dat het zo is.'

'Ik heb niemand die me beschermt.'

Luuk beseft dat de chauffeur hem iets wil duidelijk maken. Maar wat?

Opeens herkent hij een gevoel uit zijn kerkhofdroom; dat alles-omvattende, verlammende gevoel van angst.

'Je moet alles alleen kunnen.' Luuk trekt een grimas.

'Is Ranger jouw enige vriend?'

'Ik vertrouw niemand anders.'

'Een hond als vriend…'

'Meer heb ik niet nodig,' onderbreekt Luuk hem en richt zijn aandacht op het donkere uniform van de man. Langs de zijkanten van zijn pantalon en de mouwen zijn felrode biezen gestikt. Nu pas dringt tot Luuk door dat het een ouderwets uniform is. Een tijd geleden heeft hij foto's bekeken die in het midden van de vorige eeuw gemaakt waren. Dat soort uniformen droegen machinisten, postbodes en buschauffeurs toen ook.

'Waarom draagt u dat uniform? U bent nu toch geen buschauffeur meer?'

De hand van de man glijdt langs de glimmende klep van zijn pet. Zijn gezicht valt weg in de schaduw van zijn hand. 'Als ik mijn uniform draag herkennen mensen mij zoals ik was.'

Alweer een antwoord waar Luuk niets mee kan. Hij zucht.

'Hebt u een vast adres?'

'Dat is niet belangrijk.'

'Bent u hier morgen?'

'Als jij dat wilt…'

Luuk staart hem aan. 'U hoeft voor mij niet te blijven.'

'Geen probleem.'

'Ik weet niet zeker of ik morgen naar het bos ga.'

Luuk twijfelt. Hij probeert een reden te vinden waarom hij deze excentrieke man opnieuw zou willen ontmoeten. Het is griezelig en spannend tegelijk.

'Dingen gebeuren nooit zomaar,' zegt de man ineens.

'Nee?' Het benauwt Luuk dat deze man weet wat hij denkt. Toch voelt hij geen angst.

'Je kunt me vertrouwen.'

Luuk valt van de ene verbazing in de andere. 'Afgesproken.'

'Zelfde tijd?'

Luuk schudt zijn hoofd. 'Ik moet eerst naar school.'

'Vier uur dan?'

'Oké.' Luuk geeft een kort rukje aan de riem. Ranger staat op en loopt kwispelend naar de chauffeur, die hem liefdevol aait.

'Brave hond.'

'De liefste hond die er bestaat.'

'Niets gebeurt zomaar,' fluistert de man opeens.

Luuk draait zich met een ruk om. 'Wat zei u?'

'Niets gebeurt zomaar.'

Hoofdstuk 18

LUUKS VRIENDINNETJE

'Je bent de laatste tijd opvallend stil,' zegt Rosemijn.
Luuk, die naast haar staat, trekt een verongelijkt gezicht. 'Heb je er last van of zo?'
'Nee,' reageert Rosemijn kriegelig. 'Het is juist heerlijk rustig.'
Luuk loert met een schuine blik naar haar. Meent ze dat?
'Dat vind ik ook,' mompelt Sem die met de neus van zijn schoen een streep in het zand tekent.
'Fijn voor jullie!'
'Ik bedoel dat ik jou ook stil vind,' verduidelijkt Sem. 'Je bent anders dan anders!'
Luuk haalt zijn schouders op. 'Nou en?'
'Hallo! We hebben samen een hond waar we voor mogen zorgen.'
Luuk mond zakt open van verontwaardiging. 'Jullie hebben steeds andere dingen te doen. Ik niet!'
'Dat is waar,' geeft Rosemijn toe.
'Is er iets?' vraagt Sem na een stilte die iets te lang duurt.
'Dat kan ik beter aan jullie vragen! Ik vraag me af waar jullie mee bezig zijn.'
Sem en Rosemijn staren hem verbaasd aan.
'Dat stomme wantrouwen van jou,' sist Rosemijn.
'Jullie doen allerlei dingen achter mijn rug om.'
'Wat!' Sem kruist zijn armen voor zijn borst en kijkt hem uitdagend aan. 'Geef eens een voorbeeld!'
Langzaam laat Luuk de adem tussen zijn samengeknepen lippen

ontsnappen, terwijl hij aan een heleboel dingen tegelijk denkt. Een paar dagen geleden zag hij dat ze tijdens de les iets bespraken en opeens in zijn richting keken. Dat ging over hem! Dat was duidelijk. Niet lang daarna probeerden ze uit te vissen wat zijn grootste wens was. Ze maken hem niet wijs dat ze daarin geïnteresseerd zijn. Dat gelooft hij voor geen meter.

Waarom brachten ze een bezoek aan *De Herberg van oom Teun* terwijl ze andere dingen te doen hadden? Toen hij dat tegen ze zei, beweerden ze dat ze op zoek waren naar hem. Wat een toeval! Luuk wist meteen dat het een leugen was.

'Wat deden jullie gisteren bij het museum?'

Die vraag overrompelt Sem en Rosemijn.

'Welk museum?' vraagt Rosemijn.

'Wij zijn gisteren niet bij een museum geweest,' antwoordt Sem.

'Ik heb jullie gezien.'

'Dat kan niet.'

'Ja hoor, jij zat zeker bij de tandarts,' schampert Luuk.

Sem schudt afkeurend zijn hoofd. 'We doen geen dingen achter jouw rug om. Erewoord.'

'O nee?' Luuk laat een schril lachje horen.

'Je moet ons vertrouwen.'

'Willen jullie liever met jullie tweeën voor Ranger zorgen?'

'Jemig!' moppert Rosemijn.

'Stel je niet aan,' mompelt Sem.

'Wat aardig van je om ons te beschuldigen,' snauwt Rosemijn.

'Lieg ik?' vraagt Luuk met overslaande stem.

Sem tikt met zijn wijsvinger op zijn voorhoofd. 'We zijn vrienden, weet je nog?'

'Vrienden?' onderbreekt Luuk hem boos. 'Volgens mij heb ik me vergist.'

'Waarom twijfel je steeds aan ons?' vraagt Sem.

'Bewijs maar eens dat jullie mijn vrienden zijn.' Luuk schrikt als hij die woorden uitspreekt. Zijn gedachten gaan naar die droom waarin híj op het kerkhof zijn vriendschap aan Sem en Rosemijn moest bewijzen. 'Dat lukt jullie niet. Never nooit niet.'

Luuk ziet dat het tweetal elkaar aankijkt. Ik word belazerd, flitst het door hem heen. Zo is het altijd gegaan.

'We zullen bewijzen dat we vrienden van je zijn,' zegt Sem.

'Ja, wat moeten we doen?' vraagt Rosemijn. 'Welk bewijs heb je nodig?'

'Dat laat ik aan jullie over,' prevelt Luuk. Hij heeft geen idee op welke manier je vriendschap kunt bewijzen.

Zwijgend fietsen ze van school weg.

'We gaan naar de villa,' zegt Sem monter. 'Met Ranger spelen!'

Luuk weet niet wat hij moet doen. Het is verstandig om mee te gaan. Het is de enige kans om de vriendschap voor de komende tijd veilig te stellen. Maar hij heeft een afspraak met de buschauffeur gemaakt.

Op de een of andere manier kan hij die merkwaardige ontmoeting niet uit zijn hoofd zetten. Hij wil meer van die man weten. Luuk voelt dat de ontmoeting belangrijk is, al kan hij daarvoor geen enkele verklaring geven. Wat nu?

'Ik heb een idee!' roept Rosemijn aan het eind van de straat. 'Ik hoop dat jullie willen.'

'Je maakt me nieuwsgierig,' grinnikt Sem.

'Van mijn moeder mogen we een keer met Ranger bij ons thuis komen omdat Wendy steeds naar *Reenzjer* vraagt.'

Sinds ze in Steindorp woont, heeft ze nog maar weinig klasgenoten uitgenodigd. Ze schaamt zich voor haar zusje dat bijna de hele dag met een slabbetje om haar hals rondloopt omdat ze kwijlt.

In haar hart weet Rosemijn dat ze zich nergens voor hoeft te schamen. Het is meer de angst dat anderen haar met Wendy zullen pesten omdat Wendy een Downie is.

'Iedereen is zoals hij is', zegt Rosemijns moeder vaak. Aan Wendy's gezicht kun je zien dat ze het syndroom van Down heeft. Wendy is een vrolijk meisje. Ze heeft een kleine achterstand in haar taalontwikkeling. Omdat ze er vaak van alles uitflapt, zorgt ze soms voor grappige momenten.

Sem en Luuk voelen aan dat ze deze uitnodiging niet af mogen slaan.

Luuk tuurt naar een onzichtbaar punt in de verte. Als hij meegaat, loopt hij een ontmoeting met de buschauffeur mis. De man zal teleurgesteld zijn in Luuk omdat die zijn afspraak niet nakomt, en zal waarschijnlijk voorgoed verdwijnen.

Luuk verlangt naar iemand die een soort vader voor hem zou kunnen zijn. Een vriend die hem raad geeft als het nodig is. De buschauffeur is in hem geïnteresseerd. Het zou fijn zijn om hem af en toe te kunnen bezoeken.

Rosemijn laat haar voeten naast de pedalen hangen en mindert vaart, zodat Luuk vanzelf naast haar komt fietsen.

'Geen zin?' Rosemijn neemt hem fronsend op.

'Ik heb wel zin.'

'Maar?'

'Ik zou om vier uur naar iemand anders…'

'Meneer Van Zanten vindt het niet erg als je later komt.'

Een stemmetje in Luuks hoofd fluistert dat hij met Sem en Rosemijn mee moet gaan. Hij zucht. 'Ik ga helemaal niet naar Van Zanten.'

'Oh?' Rosemijn zit zowat achterstevoren op haar zadel. 'Wat ga je dan doen?'

'Met jullie mee.'

Rosemijn steekt haar duim naar hem op. 'Mooi zo.'

Luuk kan een gevoel van achterdocht nauwelijks onderdrukken. Waarom willen ze hem opeens zo graag mee hebben? Wendy is blij als ze de drie kinderen met Ranger de keuken ziet binnenstappen. 'Lief, lief...' juicht ze en vliegt meteen op Ranger af die achter Luuks benen wegduikt.

'Kiekboe, kiekboe!' schatert Wendy.

'Wendy!' roept Jet Rijnsburg geschrokken. 'Je moet zachtjes doen. Anders schrikt de hond en bijt hij jou.' Ze richt zich tot de kinderen en zegt dat Wendy niet alleen bij de hond mag.

Luuk pakt haar vast, terwijl hij Ranger met zijn benen tegenhoudt.

Wendy tilt haar hoofd op en kijkt Luuk met grote, verbaasde ogen aan. 'Niet?'

'Wat bedoelt ze?' vraagt Luuk onbeholpen.

'Of jij wel of niet bijt,' giechelt Rosemijn.

'Nee, ik bijt niet,' antwoordt Luuk zachtjes.

'Lief,' zegt Wendy en geeft Luuk zomaar een handje.

Jet Rijnsburg glimlacht ontroerd. 'Ze vindt jou lief.'

Luuk krijgt een kleur.

'Niet te geloven!' grijnst Rosemijn.

'Hoe voelt het om een vriendinnetje te hebben?' plaagt Sem.

'Zeur niet,' mompelt Luuk en trekt bruusk zijn hand los.

Hoofdstuk 19

DE BUS

Beteuterd kijkt Wendy naar de grote jongen naast haar.

'Wat ben jij kinderachtig!' roept Rosemijn boos.

Luuk schaamt zich dood. Het was niet zijn bedoeling om zijn hand zo ruw uit Wendy's handje weg te trekken. Het gebeurde gewoon.

Jet Rijnsburg kijkt Luuk verbaasd aan, maar er is geen afkeuring in haar ogen. Ze tilt Wendy op.

Luuk zoekt naar woorden om zich te verontschuldigen, maar weet niets te zeggen.

'Niet?' vraagt Wendy.

Jet schudt haar hoofd geruststellend. 'Nee, Luuk bijt niet.'

'Hij gromt!' roept Rosemijn.

'Bemoei je er niet mee,' fluistert Jet en gaat met Wendy op de bank zitten.

Sem vindt het sneu voor Wendy. Hij grist de riem uit Luuks hand en neemt Ranger mee naar de bank.

Als de hond ineens voor Wendy's neus staat, reageert het meisje geschrokken en klimt bij haar moeder op schoot.

'Ranger vindt jou lief,' zegt Sem. 'Wil je hem aaien?'

Wendy kijkt onzeker naar haar moeder.

Ranger gaat voor haar op de grond zitten.

Luuk weet zich geen houding te geven, dus hurkt hij naast Ranger en klopt de hond op zijn hals. 'Braaf,' mompelt hij. 'Ranger is heel erg braaf.'

'Baaf,' imiteert Wendy.

104

'Aai maar,' moedigt Luuk haar aan.

Opeens stralen Wendy's ogen. Ze schuift naar voren en legt haar hand op Rangers kop. 'Aai, aai,' zegt Wendy.

Ranger blijft rustig zitten. Hij vindt al die aandacht geweldig.

'Eind goed, al goed,' zegt Rosemijn nadrukkelijk en werpt een spottende blik in Luuks richting.

Luuk is boos op Rosemijn. Hij had beter naar het bos kunnen gaan.

In de keuken drinken ze limonade. Luuk zegt weinig.

Wendy draait om Ranger heen en moet in de gaten gehouden worden.

'Ik moet er niet aan denken dat hij Wendy zal bijten,' huivert mevrouw Rijnsburg.

'Volgens mij voelt Ranger haarfijn aan wat hij wel en niet kan doen bij Wendy,' meent Luuk.

'Nou, daar kun jij wat van leren,' bitst Rosemijn.

Sem geeft haar een schop onder tafel.

'Oeps.' Grijnzend drukt ze een hand tegen haar mond.

Luuk doet alsof hij het niet gehoord heeft.

Opeens gaat Wendy naast Luuk staan en pakt zijn hand vast. Luuk weet dat alle ogen op hem gericht zijn en voelt een blos vanaf zijn kaken omhoog kruipen. Hij buigt iets voorover naar het kleine meisje. 'Zullen we naar de tuin gaan?'

Wendy's ogen zoeken Rosemijn. 'Mijn.'

'Ja, "Mijn" gaat ook mee,' lacht Rosemijn.

Even later scharrelt Luuk met Wendy aan zijn hand door de achtertuin van de familie Rijnsburg.

Luuk laat zich door Wendy overal naartoe sleuren. Ondertussen brabbelt ze onafgebroken. Luuk knikt af en toe instemmend, zonder te weten wat ze precies zegt. Jet Rijnsburg zwaait vanuit het keukenraam.

Wendy ontdekt een vlinder en wijst enthousiast naar de struik.

Als ze ernaartoe rent struikelt ze bijna over haar eigen benen. Vol bewondering ligt ze op haar knietjes te kijken naar de gele vlinder. Ranger gaat naast haar liggen en besnuffelt de vlinder nieuwsgierig. Binnen een paar tellen vliegt de vlinder weg.

'Niet! Niet!' roept Wendy.

'Vlinder, kom maar terug. Je hoeft niet bang te zijn!' helpt Luuk haar. 'Ranger bijt niet.'

'Vinder!' roept Wendy vrolijk.

De vlinder fladdert een rondje door de tuin en landt vervolgens op Rangers kop. Wendy schatert het uit!

Luuk kijkt af en toe over zijn schouder. Sem en Rosemijn zitten op een muurtje. Ze praten zacht en letten op hem. Dat voelt niet prettig.

Als Luuk erin slaagt onopvallend in de buurt te komen, hoort hij Sem zeggen dat het morgen moet lukken. Wat moet morgen lukken? Luuk denkt na.

'Ranger mag wel los,' zegt Rosemijn.

'Zeker weten?'

Rosemijn vraagt door het keukenraam om toestemming aan haar moeder. Het mag, maar dan moeten ze beloven goed op Ranger te letten.

Wendy huppelt door de tuin, maar blijft Luuks hand vasthouden. Ze vertrouwt hem.

'Stijve hark...' lacht Sem plagend. 'Ben je het huppelen verleerd?'

'Wil je het voordoen?' vraagt Luuk.

'Geen probleem!' Sem springt op en geeft Wendy een hand. Rosemijn grinnikt als de twee jongens met Wendy door de tuin huppelen. Het ziet er helemaal grappig uit als ze hun benen hoog optrekken. Ranger begrijpt niet wat ze aan het doen zijn en wordt onrustig. Hij springt blaffend achter hen aan.

Als ze later languit in het gras gaan liggen, loopt Rosemijn met een papieren zakdoekje naar haar zusje.

'Kom eens! Je mond is vies!'

Wendy protesteert. Ze wil niet dat Rosemijn haar mond afveegt en verstopt zich achter Luuk.

Rosemijn waarschuwt hem. 'Voor je het weet zit je onder.'

'Ik ben niet bang voor een beetje koninklijk kwijl van hare majesteit Kwijlebal,' grijnst Luuk.

Rosemijn kijkt hem aan maar ziet geen spottende blik in zijn ogen. Blijkbaar wil Luuk zich verontschuldigen voor die keer dat hij haar gedichtenschrift afpakte en het gedicht over Koningin Kwijlebal in de klas voorlas.* Luuk beweerde dat hij het schrift op het schoolplein had gevonden. Maar dat was niet waar. Hij had het uit haar tas gepakt. Het was de zoveelste gemene streek van hem. Rosemijn was toen woest. De boosheid daarover is nooit helemaal verdwenen.

'Zal ik het doen?' Luuk trekt een gezicht alsof hij dat kwijl niet erg vindt.

Rosemijn is verbaasd, maar laat niets merken. Ze geeft het zakdoekje aan Luuk.

Wendy laat haar kin door Luuk schoonmaken. Opeens grist ze het zakdoekje uit zijn hand en rent naar Ranger.

'Bah!' zegt ze ondeugend en veegt met het zakdoekje over Rangers natte snuit. Ranger duikt weg.

Luuk gaat snel naar de hond, om te voorkomen dat Wendy hem aan het schrikken zal maken. 'Brave hond!' fluistert Luuk in zijn oor.

Wendy dribbelt naar de heg. Ze heeft weer iets ontdekt. Ze zit op haar hurken. Rosemijn, Sem, Luuk en Ranger vormen een halve kring in het gras en fantaseren over allerlei dingen die ze met Ranger kunnen doen. Het is heel gezellig, totdat Luuk

---

*Lees deel 1 Ranger – *Wat nu?*

verschrikt opspringt en roept dat Wendy door een gat in de heg naar de tuin van de buren is gekropen.

'Je moet terugkomen!' roept Rosemijn. Tussen de bladeren door zien ze dat Wendy iets in haar armen heeft. 'Ze heeft het jonge poesje van de buren gepakt!'

Het drietal holt via de stoep naar de tuin van de buren. Er is niemand thuis.

Terwijl Rosemijn het tuinhekje probeert los te krijgen, horen ze Wendy hard huilen.

'Duwen!' brult Sem. 'Die knop draaien en dan hard duwen.'

Ranger voelt dat er iets aan de hand is. Hij springt zonder aanloop over het hek en rent naar het achterste deel van de tuin. De rest volgt een paar seconden later. Ze zien nog net hoe Ranger midden in de sloot springt. Wendy staat verdrietig toe te kijken. Rosemijn tilt haar op en ziet tot haar schrik dat het kleine poesje spartelend in het water ligt.

'Poes, poes!' huilt Wendy.

Ranger zwemt recht op het diertje af.

'Wat is hij van plan?' vraagt Luuk terwijl hij zijn schoenen uitschopt om ook het water in te gaan.

'Ranger wil dat poesje redden,' fluistert Sem met ongeloof in zijn stem.

'Of te grazen nemen!' roept Rosemijn.

Ranger zwemt vastberaden op zijn doel af.

Rosemijn wordt ongerust. 'We moeten hem tegenhouden.'

Ranger duikt onder water en komt voorzichtig naar boven op de plek waar de poes ronddobbert. Het lijkt wel alsof ze naar een film staan te kijken. Opeens zit het rillende poesje op de rug van Ranger. Ze klauwt haar scherpe nageltjes in de vacht om zich vast te houden. Rustig zwemt Ranger naar de kant. Rosemijn tilt het poesje van zijn rug. Ze juichen.

Luuk trekt Ranger op de kant. Als Ranger het water uit zijn

vacht schudt, stuift iedereen lachend weg.

'Ranger is super!' roept Luuk.

Het poesje springt uit Rosemijns handen en rent naar de achterdeur waar ze via een luikje naar binnen glipt.

'Daar kan ze opdrogen en warm worden,' glimlacht Rosemijn.

'Ranger zou best een bijzondere filmhond kunnen worden,' fantaseert Sem.

Luuk hoort een vreemd geronk. Hij kijkt opzij en ziet een oude bus voorbijrijden.

Alles staat stil in Luuks hoofd. Een fractie van een seconde is het onmogelijk om te denken. 'Zagen jullie die bus?' vraagt hij.

'Bus?' mompelt Rosemijn.

'Welke bus?' vraagt Sem verbaasd.

Hoofdstuk 20

NEVER NOOIT!

Het gedreun van de dieselmotor is in de verte nog te horen. Luuk kijkt van de een naar de ander. 'Hoorden jullie die rammelbak niet door de straat rijden?'

Rosemijn schudt haar hoofd. 'Er reed geen rammelbak door de straat.'

'Welles.'

Rosemijn en Sem lachen verbaasd.

'De een ziet ze vliegen, de ander ziet ze gewoon door de straat rijden,' grijnst Sem.

Luuk haalt zijn schouders op. Hij twijfelt niet aan wat hij heeft gezien. 'Ik weet het zeker.'

'Was het een rode dubbeldekker uit Londen of de buurtbus uit Parijs?'

'Een gele bus,' antwoordt Luuk kalm. 'Met zwarte strepen aan de zijkant.'

'In deze wijk rijden geen bussen,' weet Sem.

Luuk kijkt hen fronsend aan. Nemen ze hem in de maling?

'Misschien was het een museumbus die voor speciale gelegenheden gebruikt wordt,' oppert Luuk.

Het ronkende geluid van de oude dieselmotor trok zijn aandacht. Sem en Rosemijn móéten het ook gehoord hebben.

'Je hebt een speciale gave,' zegt Rosemijn plechtig. 'Wees er zuinig op.'

'Doe niet zo flauw.'

'Ik doe niet flauw. Het zou toch kunnen dat jij net zo'n soort gave hebt als Sem?'

'Ik voel niet wat er in de toekomst gaat gebeuren,' antwoordt Luuk en doet Ranger zijn riem om.

'Whatever, jij ziet dingen die wij niet zien.'

Luuk klemt zijn kaken op elkaar om zijn boosheid niet te uiten. Rosemijn drijft de spot met hem. Elke keer als hij kwaad reageert, bevestigt hij een vervelend joch te zijn dat heel snel op zijn tenen is getrapt. Dat vindt zij leuk.

Rosemijn vertelt haar moeder dat Wendy door de heg naar de tuin van de buren is gekropen. Daarna volgt in geuren en kleuren het verhaal van Rangers bijzondere reddingsactie. Hij wordt meteen beloond met een paar dikke plakken worst.

'Spectaculair!' vindt Jet Rijnsburg. 'Maar hoe kwam dat poesje in de sloot terecht? Er staat toch een hek voor de sloot?'

Rosemijn denkt dat het jonge poesje op de vlucht is geslagen voor Wendy en vervolgens in paniek over het hek is geklommen. 'Het was gaaf om te zien hoe Ranger afzette, de sloot in dook en het poesje op een slimme manier wist te redden.'

Ze zijn trots op Ranger, dat is duidelijk.

Luuks gedachten dwalen af naar de gele bus. Zou de buschauffeur naar hem op zoek zijn? Hoe komt die man aan een bus? Hoe meer Luuk nadenkt, hoe nieuwsgieriger hij wordt.

Rosemijn wil samen met Wendy een zoekspel in de tuin doen. Wendy mag allerlei dingen verstoppen, die door Ranger opgespoord moeten worden.

Luuk krijgt een harde duw van Rosemijn tegen zijn arm.

'Doe je ook mee?'

Luuk schudt zijn hoofd. 'Ik ga naar huis. Ik heb hoofdpijn.'

'Zomaar opeens?' Rosemijn klinkt spottend.

Het aspirientje dat mevrouw Rijnsburg aanbiedt, slaat Luuk af. Hij roept Ranger en aait de hond. 'Ik ga weg,' zegt hij. Het liefst zou hij Ranger meenemen, maar dat durft hij niet te vragen.

'Die gaat op zoek naar de gele bus,' mompelt Rosemijn.

'Dat maakt het alleen maar makkelijker voor ons,' fluistert Sem.

Luuk fietst weg. Soms denkt hij dat het beter is om te kappen met Sem en Rosemijn. Aan alles merkt hij dat ze moeite met hem hebben. Het was vanmiddag best gezellig ondanks dat mevrouw Rijnsburg hem in het begin in de gaten hield. Rosemijn zal weinig positieve dingen over hem verteld hebben! Later voelde hij zich een beetje thuis. Dat kwam vooral door de kleine Wendy, die hem aardig vond. Hij wist zich geen raad met zijn houding, maar is nu toch tevreden over hoe hij met Wendy is omgegaan.

Toen de anderen buiten gehoorafstand waren, vertrouwde mevrouw Rijnsburg hem toe dat ze het bijzonder vond hoe Wendy op hem reageerde. 'Wendy gaat bijna nooit met mensen om die ze niet kent. Ze kijkt eerst de kat uit de boom. Maar ze vindt jou leuk. Je had moeten zien hoe ze keek toen ze aan jouw hand door de tuin liep; ze was apetrots.'

'Ik ben geen kleine zusjes gewend.'

'Dat weet ik. Je doet het prima,' complimenteerde mevrouw Rijnsburg. 'Dat wilde ik je even zeggen.'

Luuk staarde naar de grond en wachtte tot ze ophield met praten. Hij houdt er niet van om met volwassenen te praten.

Op dit moment voelt Luuk zich voor de zoveelste maal onzeker over de vriendschap met Sem en Rosemijn. Het ene moment lijkt alles leuk en aardig, het volgende moment is er ruzie en achterdocht.

Echte vrienden heeft hij nooit gehad. Dit is de eerste keer. Dat komt door Ranger! Anders zou hij het niet volgehouden hebben.

Ranger heeft zijn leven veranderd. Maar voor hoelang?

Zou de buschauffeur nog op hem wachten?

Iemand fluit hard op zijn vingers.

Luuk schrikt op uit zijn gedachten en kijkt om zich heen.

'Luuk! Luuk!'

Hij remt af en ziet Sem en Rosemijn op de stoep staan. Ze wenken hem.

'Wat is er?' Luuk draait met tegenzin om.

'Rosemijn heeft iets bedacht!' roept Sem vanuit de verte.

Luuk trekt een onverschillig gezicht, om zijn nieuwsgierigheid te verbergen.

Rosemijn staat hem met een hand in de zij op te wachten. 'Je wil toch een bewijs?'

'Wat bedoel je?'

'Over onze vriendschap!'

'Dat kan natuurlijk nooit,' geeft hij toe. 'Dat weet ik ook wel.'

'Ik wil een voorstel doen.'

Luuk laat een zenuwachtig kuchje horen. 'Ik hang aan je lippen.'

'Als je wil, mag je Ranger morgen en overmorgen hebben.'

'O.' Luuks ogen schieten heen en weer van Sem naar Rosemijn.

'Dat klinkt niet enthousiast.'

'Nou ja, ik vraag me af waarom je dat voorstelt.'

'Om te bewijzen dat we vrienden zijn.'

'Twee dagen?'

'Vrijdag en zaterdag,' beaamt Rosemijn.

'Zondag ook? Dat zou leuker zijn.'

'Je bent nooit tevreden,' grijnst Sem. 'Waarom zondag?'

'Dan ben ik jarig.'

'Stom. Dat was ik vergeten.'

Dan schudden Rosemijn en Sem tegelijk hun hoofd.

'Zondag niet,' beslist Sem.

'Waarom niet?'

'Omdat wij niet mogen komen,' antwoordt Rosemijn.

'Alsof jullie dat graag zouden willen,' sneert Luuk.

'Als je het leuk vindt dat we zondag met Ranger komen, moet je ons nu uitnodigen.'

Luuk denkt snel na en haalt dan zijn schouder op. Hij *moet* niets! 'Jullie zondag, ik morgen en overmorgen.'

'Je nodigt ons niet uit voor jouw verjaardag?' vraagt Rosemijn voor de zekerheid.

'Nee.' Luuk zet zijn voet op de trapper en maakt aanstalten om weg te gaan.

Er komt niemand op zijn verjaardag. Gisteren vertelde zijn moeder doodleuk dat ze moest werken omdat er twee collega's ziek waren. Ze vond het erg, maar kon er niets aan veranderen. Zijn verjaardag wordt nu een week uitgesteld. Maar dat geeft niet, alleen oma en een tante zouden komen. 'Er komt veel familie,' liegt hij.

'Van ons heb je geen last,' grinnikt Sem. 'Je kunt ons toch wel uitnodigen?'

'Uitnodigen?' herhaalt Luuk. 'Never nooit!' Luuk fietst zonder nog iets te zeggen weg.

Sem en Rosemijn kijken hem na totdat hij om de hoek is verdwenen. Triomfantelijk slaan ze de handen tegen elkaar.

'Dat is gelukt,' mompelt Rosemijn tevreden. 'Ik was even bang dat hij van gedachten zou veranderen.'

'Luuk van gedachten veranderen? Dat doet hij never nooit!' grinnikt Sem.

Hoofdstuk 21

OP SOKKEN

Luuk zet zijn fiets tegen het prikkeldraad en loopt langs de greppel. Hier ongeveer stond toch de tent? Een vage onrust kriebelt door zijn lijf. Hij zal toch niet weer een lege plek aantreffen? Luuk gelooft niet dat de man dag en nacht in de tent woont. Tenzij hij dakloos is en rondzwerft. Maar de man zei dat hij geen zwerver was maar een reiziger. Dat klinkt wel chiquer.

Luuk luistert naar de geluiden van het bos. Vlaamse gaaien vliegen schreeuwend uit de toppen van bomen weg. Waarschuwen ze anderen voor zijn aanwezigheid?

De wind waait door de bladeren en het hoge gras. Als de vogels in de verte verdwenen zijn, lijkt er plotseling een deken van stilte over het bos te vallen.

Luuk staat op het pad zonder zich te bewegen. De onheilspellende sfeer krijgt steeds meer vat op hem. Was Ranger maar bij hem. Of Sem...

Luuk draait zich om. Hij vertrouwt het niet. Hoewel hij geen idee heeft waarom hij angstig is, durft Luuk het niet aan. Dan maar een held op sokken!

Langzaam loopt Luuk terug naar het weiland. Daar bedenkt hij een plan. Hij gaat in het gras zitten en staart peinzend naar de loods van het museum. Hij pakt zijn mobiele telefoon. Hij heeft nog maar twee euro beltegoed. Hij kan beter een sms'je sturen, dat is goedkoper.

Zin om naar bosrand te komen? Jij, R. en R. Ik sta bij het weiland, achter museum. Ik wacht op jullie. Gr. Luuk.

Luuk leest de korte boodschap nog een keer, doet een schietgebedje en stuurt het naar Sems mobieltje.

Als ze komen zal hij vertellen over de ontmoeting met de buschauffeur. Ze mogen alles weten. Er is iets met die man wat hij niet kan verklaren. Alsof hij in een andere wereld leeft...

Na een paar minuten gaat zijn telefoon. Het is Sem.

'Waarom moeten we komen?' vraagt Sem.

'Dat is moeilijk uit te leggen.'

'Je kunt toch wel iets zeggen?'

'Gisteren heb ik een man ontmoet. We hadden een afspraak gemaakt voor vanmiddag vier uur. Maar dat liep anders.'

'In het bos?'

'Mm.'

'Is er iets gebeurd?' vraagt Sem met ingehouden adem.

'Nee,' antwoordt Luuk. 'Maar ik zou het fijn vinden als jullie meegaan.'

'Waarom?'

'Zomaar.'

'Ben je bang?'

'Nee, dat is het niet,' mompelt Luuk.

'Als je het niet vertrouwt, dan ga je toch niet! Heel simpel.'

Luuk slaakt een zucht. 'Komen jullie nou wel of niet?'

'We zijn er binnen twintig minuten.'

Luuk verbreekt de verbinding. Op de fiets zouden ze er sneller kunnen zijn, maar Ranger is niet gewend om naast de fiets te lopen. Dat moeten ze binnenkort maar eens oefenen.

Is het eigenlijk wel een goed idee om over de buschauffeur te vertellen? Zullen ze hem geloven?

Luuk besluit Sem en Rosemijn een klein stukje tegemoet te

lopen. Halverwege klimt hij op een hek om op hen te wachten. Vanaf die plek heeft hij een prachtig uitzicht over de omgeving en kan hij alles goed in de gaten houden. Misschien ziet hij de gele bus rijden. Hij weet haast wel zeker wie er achter het stuur zat.

'Eindelijk!' mompelt Luuk wanneer hij Sem, Rosemijn en Ranger in de verte ziet aankomen.

Hij laat zich van het hek glijden en fluit hard op zijn vingers. Ranger herkent het fluitje meteen en wil ervandoor. Maar Sem houdt hem tegen. Als hij er zeker van is dat er geen verkeer is, mag Ranger los.

Luuk wacht hem met zijn armen wijd op. Ranger heeft zoveel vaart dat hij niet op tijd kan stoppen en met zijn voorpoten tegen Luuks schouders springt. Luuk valt met een kreet achterover, maar het doet geen pijn. Ranger denkt dat het een spelletje is en begint te stoeien. Luuk moet vreselijk lachen en rolt snel opzij.

'Wegpiraat!' roept hij.

Sem en Rosemijn komen buiten adem aanrennen en vragen of hij een ambulance nodig heeft.

'Nee. Ik heb er alleen een paar blauwe plekken bij,' lacht Luuk en klopt het zand van zijn kleren.

'Hij was niet te houden.' Sem laat de rode striem in zijn hand zien. 'Volgens mij rent Ranger sneller dan het geluid.'

'Sneller dan het licht,' corrigeert Luuk.

'Hij is in ieder geval sterker dan jullie twee bij elkaar!' grinnikt Rosemijn.

'Dat betwijfel ik.'

Opeens valt er een stilte.

'Vertel maar,' zegt Sem.

'Op één voorwaarde!' Luuk kijkt het tweetal om de beurt aan.

'Je maakt het wel spannend,' mompelt Rosemijn.

'Jullie mogen niet aan mij twijfelen. Ik ben niet gek!'

Sem en Rosemijn beloven dat ze niet aan hem zullen twijfelen.

'Het is echt een raar verhaal. Toen ik gisteren met Ranger in het bos wandelde, zag ik al snel dat hij iets op het spoor was. Uiteindelijk ontdekte ik een oude tent waar zwart landbouwplastic omheen was gewikkeld. Heel geheimzinnig. Want waarom camoufleert iemand zijn tent?'

'Ik kan genoeg redenen verzinnen,' roept Sem enthousiast.

'Ik merkte aan Ranger dat er geen mensen in de tent waren. Hij snuffelde wat rond. Ik heb snel in de tent gekeken en zag een slaapzak, een oude rugzak en een kistje waarin wat spullen lagen. Verder lag er niets. Er lag zelfs geen grondzeil in de tent.'

'Vast een zwerver,' concludeert Sem.

'Nee, een reiziger,' verbetert Luuk met een flauwe glimlach.

'Ssst.' Rosemijn geeft Sem een duw. 'Laat Luuk eens uitpraten.'

'Ik vertrouwde het niet en ben door het weiland naar meneer Van Zanten gelopen.' Luuk stopt even. Hij kijkt hen indringend aan, maar zegt niet dat hij hen daar heeft gezien. 'Ik vertelde hem dat ik een tent ontdekt had. Hij is met me meegegaan om te kijken. Maar helaas, alles was verdwenen. Er was niets meer van de tent te zien; zelfs de sporen waren uitgewist! Ik was perplex. Van Zanten wilde gaan zoeken, maar ik wist zeker op welke plek ik de tent gezien had. Later ben ik met Ranger teruggegaan. Jullie geloven het vast niet, maar de tent stond er weer. Deze keer was de eigenaar er wel. Ranger blafte niet en schonk nauwelijks aandacht aan de onbekende man. Het leek wel of hij de man vertrouwde. Dat vond ik zo wonderlijk.'

Luuk beschrijft het uniform van de man en het korte gesprek dat ze gevoerd hebben.

Rosemijn wiebelt van haar ene voet op de andere. 'Wie loopt

er nou in een ouderwets uniform rond? Zou die man wel goed bij zijn hoofd zijn?'

'Ben je net bij de tent geweest?' wil Sem weten.

'Ik durfde niet alleen.'

'Aha! Je wil samen met ons.'

'Als dat zou kunnen,' antwoordt Luuk.

'Held op sokken,' plaagt Rosemijn.

'We lopen het risico dat de tent verdwenen is. Toch weet ik zeker dat er een tent was.'

'Denk je dat die man in die oude gele bus rondreed?'

Luuk knikt.

In optocht lopen ze langs de greppel naar de plaats in het bos. Luuk loopt voorop met Ranger aan de riem.

'Zijn we er al?' fluistert Rosemijn.

'Bijna,' antwoordt Luuk die af en toe op zijn tenen gaat staan om een glimp van de zwarte tent op te vangen.

Een paar minuten later blijft Luuk verbijsterd stilstaan.

'Is het hier?' vraagt Sem.

Luuk slikt en kijkt schuchter naar de anderen. 'Ik was er al bang voor,' fluistert hij met hese stem. 'Er is geen tent...'

Hoofdstuk 22

VRIENDSCHAP

'Elke keer als je de tent aan anderen wil laten zien, is hij er niet meer,' peinst Rosemijn. 'Dat is wel erg toevallig.'

'Ik begrijp het ook niet,' zegt Luuk. 'Maar ik ben niet gek.'

'Dat zeg ik ook niet.'

'Ik maak ook wel eens dingen mee die ik niet kan verklaren,' vertelt Sem. 'Maar als je het niet kunt verklaren, wil dat niet zeggen dat het niet bestaat.'

Luuk strekt zijn arm en wijst naar de plek. 'Daar stond de tent, en om deze boom zat een touw waarmee dat zwarte plastic vastgeknoopt was.'

'Er zit logica in.' Sem trekt een plechtig gezicht en wacht tot hij de aandacht van Rosemijn en Luuk heeft. 'Alleen jíj ziet die tent. Wij zagen niets en meneer Van Zanten idem dito.'

'Noem je dat logisch?'

'Dat betekent dat het met jou heeft te maken.'

Luuk fronst zijn wenkbrauwen.

'Jij zag een bus rijden,' helpt Rosemijn hem herinneren. 'Wij niet!'

'Ik twijfel niet aan mijn ogen. De bus reed door de straat!'

'Conclusie!' Sem verheft zijn stem omdat hij geen zin heeft in geruzie. 'Die dingen die jij hebt gezien zijn blijkbaar alleen voor jou bestemd.'

'Jullie geloven mij niet.'

'Juist wel!' Sem zucht. 'Volgens mij gebeurt het vaker dat iemand iets ziet wat anderen niet kunnen zien.'

'Wat heb ik er dan aan?'

'Wil je ons bewijzen dat het waar is? Ik bedoel: twijfel je aan jezelf?'

'Nee, maar ik vind het...' Luuk haalt zijn schouders op. Hij weet niet hoe hij zijn gevoelens moet verwoorden.

'Vind je het eng?' vraagt Rosemijn.

Luuk staart naar een groene plek op de mouw van zijn jas en knikt.

'Het is ook eng,' beaamt Sem. 'Dat gevoel dat er onverklaarbare dingen gebeuren waarin je zelf een rol speelt... Volgens mij is er ook zoiets met de witte villa aan de hand.'

Luuks ogen worden ze groot als schoteltjes als tot hem doordringt wat Sem bedoelt. 'Dit is anders,' stamelt hij. 'Deze man is een échte man!'

Sem maakt een weifelend gebaar met zijn handen. Hij heeft zijn bedenkingen.

Rosemijn lacht zenuwachtig. 'Die spookverhalen over de villa bestaan al jaren. Deze man is volgens mij gewoon een warrige man. Hij leeft met zijn gedachten dertig jaar terug in de tijd, toen hij nog buschauffeur was.'

'Dat zou kunnen,' beaamt Luuk monter. Hoewel de man geen verwarde indruk maakte, zou Rosemijn best eens gelijk kunnen hebben.

Luuk heeft laatst een verhaal van zijn moeder gehoord over een man met de ziekte van Alzheimer. Zijn korte termijngeheugen werkt niet meer, waardoor hij vaak niet weet wat hij een paar minuten geleden gedaan heeft. Soms gaat hij wel vijf keer op een dag naar de bakker om brood te kopen.

Het geheugen is heel belangrijk voor een mens. Wanneer dat niet goed meer werkt, kan je op den duur niet meer voor jezelf zorgen. Wie aan die ziekte lijdt, begrijpt steeds minder van de wereld om zich heen.

Maar de buschauffeur is anders. Hij heeft geen Alzheimer. Integendeel: hij wekt juist de indruk alles te weten.

'Het is jammer dat je geen mobieltje hebt waarmee je foto's kunt maken,' zegt Sem.

'Helaas, de mijne stamt nog uit het stenen tijdperk.' Luuk herinnert zich dat er thuis nog een wegwerpcamera ligt. 'Misschien neem ik de volgende keer een fototoestel mee.'

'Ga je er nog een keer naartoe?' vraagt Rosemijn.

'Dat weet ik nog niet.'

'Sem en ik verstoppen ons in de greppel en dan sluip jij weer naar die plek,' stelt Rosemijn voor.

'Wat verwacht je? Dat er ineens een tent staat?'

'Stel je voor,' lacht ze. 'Dat zou fantastisch zijn. Zullen we het proberen?'

Luuk schudt resoluut zijn hoofd. 'Laat maar.'

'Gaan we terug naar Steindorp?' vraagt Sem.

Luuk loopt zoekend het bos in. Ranger, die door Rosemijn wordt vastgehouden, verliest hem geen moment uit het oog. Als Luuk een stevige tak omhoog houdt, blaft de herdershond enthousiast.

Luuk kijkt schichtig om zich heen en holt snel terug om zich bij de anderen te voegen.

Rosemijn giechelt. 'Waarom ren je zo hard?'

'Let op jezelf.' Luuk werpt haar een boze blik toe.

'Het was grappig om te zien; je keek achterom en toen ging je opeens sneller lopen. Er is niemand in het bos.'

'Hoe weet jij dat nou?'

'Ik zie geen mens!'

Luuk heeft geen zin om te antwoorden. Ranger vraagt aandacht. Hij wil spelen. Luuk slingert de stok het weiland in. Na een minuut of tien willen Sem en Rosemijn terug. Ze hebben Wendy beloofd om voor het avondeten met Ranger terug te komen.

'Ga je met ons mee?' vraagt Sem.

'Ik blijf nog even.'

'Je kunt beter bij een bushalte gaan staan,' adviseert Rosemijn grappig. 'Totdat er een gele bus stopt.'

'Jij zegt altijd de verkeerde dingen op het verkeerde moment,' bitst Luuk.

'Hemeltje, ik ga op jou lijken!'

'Zoals jullie elke keer weer ruziën,' zucht Sem. 'Doodvermoeiend.'

'Je hebt gelijk,' mompelt Rosemijn beschaamd. 'Sorry.'

Luuk staart langs Rosemijn naar het bos en doet er verder het zwijgen toe.

'Ga je op zoek?' vraagt Sem als hij wegloopt.

'Ik hoef niet te zoeken. Hij is hier,' antwoordt Luuk.

Sem opent zijn mond om nog iets te zeggen, maar er komen geen woorden.

Ranger wil niet weg zonder Luuk.

'Van mij mag Ranger wel bij hem blijven,' fluistert Rosemijn. 'Je weet maar nooit wat er gebeurt.'

Luuk vangt Rosemijns woorden op. Hij is verrast, maar laat niets merken. Hij schopt tegen een steentje en slentert richting het bos.

Sem roept hem en vraagt of hij Ranger bij zich wil houden.

'Ik zou nee moeten zeggen,' glimlacht Luuk schuchter. 'Jullie hebben Wendy beloofd terug te komen. Maar...' Hij maakt zijn zin niet af.

Rosemijn loopt met Ranger naar Luuk. 'Hier.' Ze duwt de riem in zijn hand. 'Ik los het wel op met Wendy. Los jij dat mysterie met die zwarte tent maar op.'

Luuk draait de riem om zijn hand en kijkt Sem aan. 'Ik kom Ranger straks terugbrengen.' Hij loopt het bos in, maar draait zich een paar tellen later om en roept Rosemijn.

Ze draait haar hoofd om. 'Ja?'

'Bedankt!'

Rosemijn steekt haar hand op.

Luuk probeert de gedachten in zijn hoofd te negeren. Hij hoeft niet bang te zijn. De buschauffeur is niet gevaarlijk.

'Krijg nou wat,' piept Luuk benauwd als de tent op precies dezelfde plek staat en zo te zien niet van zijn plaats is weggeweest. 'Dit kan niet waar zijn.'

Ranger gaat naast hem op de grond zitten. Hij probeert Luuk gerust te stellen.

De buschauffeur staat tegen een boom geleund en heeft zijn onzichtbare ogen op Luuk gericht. Hij knikt vriendelijk.

'Het spijt me dat ik me niet aan de afspraak heb gehouden,' stamelt Luuk.

'Ik vind het niet erg.'

'Het hoort niet... Ik moest kiezen...'

'Vriendschap kan alles hebben,' glimlacht de buschauffeur.

Luuk loopt naar voren om hem beter te kunnen verstaan. 'U vindt het niet erg?'

'Als ik daar moeilijk over zou doen, zou ik geen vriend zijn.'

Uit het bos klinkt een vreemd geritsel. Sluipende voetstappen.

Langzaam draait Luuk zijn bovenlichaam en ziet Rosemijn en Sem achter een struik opdoemen.

'Met wie ben jij aan het praten?' vraagt Rosemijn nieuwsgierig.

Hoofdstuk 23

SUKKELS

'Wat doen jullie hier?' gromt Luuk.

'Niks,' antwoordt Rosemijn lacherig. 'We wilden kijken.'

Luuk tuurt met samengeknepen ogen naar de andere kant.

De buschauffeur is verdwenen! De tent ook. Een huivering glijdt langs Luuks rug. Begrijp dit maar eens.

'Hebben we je aan het schrikken gemaakt?' vraagt Sem.

'Wat denk je?'

'Met wie was je aan het praten?' Rosemijn kijkt nieuwsgierig rond.

Luuk maakt een geërgerd gebaar naar de open plek. 'Zie jij iemand?'

'Ik niet.'

'Nou dan!' Luuk stampt met grote passen dwars door het bos naar de greppel. Ranger volgt hem. Luuk klikt de riem aan de halsband vast en pakt zijn fiets.

'Ik zei het toch,' fluistert Sem.

'Inderdaad,' sist Rosemijn. 'Hij is weer kwaad.'

Luuk wacht tot de anderen bij hem zijn en geeft Ranger aan Rosemijn.

'Was hij in het bos?' wil Rosemijn weten.

'Nee.'

'Je praatte.'

'Ik oefende wat ik zou zeggen áls ik hem tegen zou komen.'

Rosemijn grinnikt. 'Slim! Dat zou ik ook zeggen!'

Luuk ergert zich in aan Rosemijn. 'Kom, Ranger! We gaan

oefenen of je naast de fiets kunt meelopen.'

Ranger begrijpt wat er van hem verwacht wordt, maar het blijft uitkijken omdat de hond snel afgeleid is. Ranger komt een paar keer tegen het voorwiel aan, waardoor Luuk begint te slingeren.

Opeens ziet Luuk dat Rosemijn en Sem iets met elkaar overleggen. Sem knikt en laat dan zijn telefoon vlug in zijn jaszak glijden. De opwinding straalt van hem af.

'Goed nieuws?' vraagt Luuk.

'Mijn moeder belde,' antwoordt Rosemijn. 'Of we nog met Ranger langskomen.'

'Waarom belt jouw moeder naar Sems telefoon?'

'Omdat ik de mijne thuis heb laten liggen.'

Ze liegt, denkt Luuk. 'Nemen jullie Ranger maar mee. Ik ga naar De Herberg.'

Sem neemt Ranger verbaasd over. 'Is er iets?'

Luuk aait de hond over de kop. 'Tot morgen.'

Rosemijn moppert. 'Alweer kwaad?'

Staand op de pedalen fietst Luuk weg.

Sem kan de hond met moeite tegenhouden.

'Last van de verjaardagszenuwen!' spot Rosemijn.

Luuks ogen vullen zich met tranen. Hij is dat achterbakse gedoe spuugzat!

Hij wil kappen met die twee. Door hen voelt hij zich nog eenzamer dan hij al is.

Hij wil vrienden om zich heen. Het hoeven er niet veel te zijn, als ze maar te vertrouwen zijn.

Maar wanneer kun je iemand vertrouwen?

Vragen dwarrelen door zijn hoofd. Hij veegt zijn tranen weg.

Een echte vriend zou voor hem door het vuur moeten gaan.

Luuk wil zekerheid! Hij wil weten wie alles voor hem overheeft. Dan hoeft hij nooit meer bang te zijn om in de steek gelaten te worden. Iemand die hem dat gevoel van zekerheid geeft, zal hij een vriend noemen. Bestaan ze? De buschauffeur misschien?

Een ding weet Luuk zeker; hij gaat niet meer op zoek naar die man in het bos. Het mysterie hoeft niet ontrafeld te worden. De gebeurtenissen maken hem bang.

Hoe is het mogelijk dat een mens binnen een seconde oplost in het niets?

Luuk heeft te veel aan zijn hoofd en wil geen 'in de war hersens' zoals hij dat vroeger noemde, wanneer hij lang nadacht over vragen die hij zichzelf stelde. Hij kreeg er altijd knallende koppijn van.

Toen hij zich ervan bewust werd dat hij geen vader had en andere kinderen wel, kwamen er nog meer vragen. Zijn vader wilde geen kind! Daarom ging hij weg. Hij wilde een vrij man zijn... Dus liet hij zijn vrouw en zoon in de steek. De lafaard.

Zou hij zondag aan Luuk denken? Zou hij weten dat zijn zoon twaalf wordt? Zou hij zich afvragen hoe het met Luuk gaat? Zou hij willen weten wat Luuk interesseert? Zou hij hopen dat Luuk gelukkig is? Zou hij Luuk willen ontmoeten?

'Zou ik dat willen?' fluistert Luuk.

Chagrijnig stapt hij *De Herberg van oom Teun* binnen. Zijn moeder heeft net een korte pauze en zit aan de stamtafel te praten met Patrick en Mirthe, die beiden in de bediening werken.

'Als een oorwurm,' grijnst Patrick.

Luuk trekt een stoel onder de tafel vandaan en gaat zitten. 'Wat?'

'Je hebt een gezicht als een oorwurm.'

'Niet iedereen ziet er zo mooi uit als jij.'

Patrick geeft hem een plagende duw. Luuk duwt terug.

Voordat er een stoeipartij ontstaat, pakt Marijke haar zoon bij de arm. 'Niet doen.' Ze maakt een hoofdbeweging naar de gasten die aan de andere kant van de bar zitten. 'Voor je het weet gebeuren er ongelukken,' voegt ze er fluisterend aan toe.

Luuk gaat rechtop zitten en kruist zijn armen voor zijn borst. 'Zo goed?'

'Keurig.'

'Ik ben geen klein kind.'

'Ik hoorde dat je zondag jarig bent!' glimlacht Patrick.

Luuk trekt zijn wenkbrauwen op en werpt een boze blik naar Marijke. 'Heb jij dat verteld?'

'Geef je een groot feest?' vraagt Mirthe.

'Nee,' antwoordt Marijke voordat Luuk kan antwoorden. 'Ik moet werken.'

'Dat is waar ook,' knikt Mirthe. 'Nadeem en Lisanne zijn ziek.'

'En tot overmaat van ramp zijn er voor zondag veel reserveringen.'

'Kom hier feesten!' stelt Patrick voor.

'Ik zie wel.' Luuk beweegt zijn duimnagel door een nerf in het houten blad van de tafel.

'We vieren zijn verjaardag een weekje later,' vertelt Marijke en wrijft over Luuks arm.

'Met alle kinderen van je klas?' wil Mirthe weten.

'Never nooit niet.'

'Niet leuk?'

'Boeit me niet.'

'Hij wil niemand uitnodigen,' klaagt Marijke.

'Groot gelijk!' lacht Patrick. 'Al die drukte! Ze komen alleen maar voor de lekkere hapjes. Maar het betekent wel dat je minder cadeaus krijgt.'

'Maakt niet uit. Ik krijg toch niet wat ik wil.'

'Ik heb een verrassing voor je.' Marijkes ogen stralen.

'Geweldig!' antwoordt Luuk onverschillig.

Marijke maakt aanstalten om, net als Patrick en Mirthe, naar de keuken te lopen. 'Voor zaterdag moet je niets afspreken.'

'Zaterdag? Dan pas ik op Ranger!'

Marijke trekt een bedenkelijk gezicht. 'Afzeggen!'

'Liever niet.'

'Ik verzeker je dat het een leuke verrassing is.'

Luuk aarzelt. 'Ik ben liever samen met Ranger.'

'Het is een droomwens van je! Doe het nu maar,' adviseert Marijke als ze door de klapdeur naar de keuken verdwijnt.

Een paar tellen lang zit Luuk in zijn eentje aan de stamtafel voor zich uit te kijken. Dan pakt hij zijn telefoon. Hij kijkt naar de grote klok. Sem en Rosemijn zijn nog onderweg.

Zal hij controleren of Rosemijn opneemt? Jammer van zijn beltegoed, maar hij doet het toch.

'Met Rosemijn…'

'Hallo met Luuk. Ben je al thuis?'

'Bijna. Hoezo?'

De sukkels! Luuks hand trilt van boosheid. 'Jouw telefoon ligt helemaal niet thuis.'

Rosemijn is perplex. 'Bel je daarom?' schampert ze.

'Nee. Ik wilde zeggen dat ik zaterdag niet op Ranger kan passen.'

Hoofdstuk 24

HUUB GROENEWOUD

Rosemijn schopt nijdig tegen een steentje. 'Hij is en blijft een chagrijn. Ik heb er geen zin meer in!'

'Nog even volhouden,' moedigt Sem aan. 'Je weet wat er gaat gebeuren.'

'Er verandert toch niets.'

'Dat kun jij niet weten.'

'Hij blijft een etterbak. Daar durf ik een weddenschap op af te sluiten.'

Sem schiet in de lach. 'Luuk kan ook aardig zijn.'

Rosemijn haalt haar schouders op.

'De keren dat dat gebeurd is, kan ik op de vingers van één hand tellen.'

'Weet je nog hoe hij met Wendy speelde?'

'Oké. Maar het zal ons niet lukken om onze vriendschap te bewijzen. Hij vertrouwt gewoon niemand.'

Ze lopen langs de zijkant van de praktijk.

Sem duwt het poortje open. 'We moeten positief blijven.'

'Ik weet eigenlijk niet of ik al die moeite nog wel wil doen om vrienden te blijven.'

'Zolang we Ranger hebben zal het wel moeten.'

'Door Ranger hou ik het vol. Zeker nu we dat schitterende aanbod hebben gekregen.'

Ranger hoort aan de piepende scharnieren van het tuinhek dat ze eraan komen. Hij blaft vrolijk.

Sem legt zijn hand op de klink van de schuurdeur en kijkt

Rosemijn aan. 'Ik denk maar zo: wij hebben het in ieder geval geprobeerd.'

'Daarna geef ik het op.' Rosemijn zet haar hand tegen de keel. 'Hij zit mij tot hier.'

Sem trekt vlug de deur open en duwt Rosemijn naar binnen. 'Daar heb je hem.'

Op school hebben ze nauwelijks met elkaar gepraat. Luuk heeft alleen verteld dat hij direct na school Ranger op zal halen. Rosemijn heeft tot twee keer toe geprobeerd een normaal gesprek met hem te voeren, maar dat is niet gelukt.

'Hou je maar bezig met wat je goed kunt,' mompelde Luuk.

'Liegen!'

Als Luuk een minuut later de schuur binnenstapt, rent Ranger als een dolle stier in het rond. Blij omdat ze er weer zijn! Ze lachen.

Luuk pakt de riem die aan een haakje naast de deur hangt en kijkt aarzelend om zich heen.

'Ga je naar het bos?' vraagt Sem.

'Wat gaan jullie doen?'

'Dat weten we nog niet.'

'Nee?' Luuk buigt zich over Ranger en maakt de riem vast. 'Dat maak je mij niet wijs.'

'Wat maakt het jou uit waar wij naartoe gaan?' reageert Rosemijn fel.

'Helemaal niks,' antwoordt Luuk gevaarlijk kalm. Hij stopt een paar hondenkoekjes in zijn jaszak en slaat de schuurdeur met een klap achter zich dicht.

'Chagrijn!' schreeuwt Sem hem na.

'Je weet wat er gaat gebeuren,' giechelt Rosemijn met een lief stemmetje. 'Nog even volhouden Sem! Positief blijven!'

'Wat je ook zegt, hij vertrouwt je niet. Je voelt zijn achterdocht.'

'Vertel mij wat,' grijnst Rosemijn. Ze schuift het gordijntje opzij en kijkt Luuk na. 'Hij gaat met Ranger naar het bos.'
'Dat is lastig voor ons.'
'Welnee! We moeten goed opletten,' zegt Rosemijn. 'We zitten aan de andere kant van het weiland. Hij ziet ons niet. Heb je alles geregeld?'
'Ja.' Sem loopt naar buiten. 'We moeten wachten tot mijn vader komt.'

Luuk durft niet met Ranger door het drukke verkeer en neemt een omweg. Als hij de bosrand nadert, fietst hij langzamer. Hij ziet er als een berg tegenop om verder te gaan.
Zou de buschauffeur zijn biezen hebben gepakt of niet?
Luuks nieuwsgierigheid wint het van zijn angst. Als er iets gebeurt, zal Ranger hem beschermen.
Hij legt zijn fiets op de grond achter een ligusterstruik en gaat met Ranger door de greppel naar de plaats waar de tent staat. Hij loopt op zijn tenen om het breken van takjes onder zijn schoenzolen tot een minimum te beperken.
'Hallo,' zegt een man.
Luuk kijkt zoekend om zich heen. Net zolang tot hij de buschauffeur met opgetrokken knieën op het mos ziet zitten.
'Hallo,' groet Luuk verlegen.
'Ik wist dat je terug zou komen.'
'Ik was het niet van plan.'
'Ben je alleen?'
'Niet helemaal.' Luuk kijkt opzij, naar Ranger. Zijn stem trilt. Hij voelt zich allesbehalve op zijn gemak.
De buschauffeur staat op en beweegt zich geruisloos richting een omgevallen boomstam.
Luuk houdt hem angstvallig in de gaten. Hij loopt op een vreemde manier. Het is geen vloeiende beweging. Het doet

132

Luuk denken aan een ouderwetse film, die soms een paar beelden overslaat. 'Reed u gisteren in een gele bus?' Luuk merkt dat alle kracht uit zijn stem is weggevloeid. Hij hoest.

De man beweegt zijn rechterarm en wijst naar het uniform. 'Ik ben buschauffeur geweest.'

'Geweest,' beaamt Luuk. 'Waar staat de bus?'

'In de garage van de busmaatschappij.'

Luuk beseft dat het geen zin heeft om door te vragen. De man blinkt uit in het geven van nietszeggende antwoorden.

'Ga zitten.' Hij gebaart naar een andere boomstam die twee meter bij hem vandaan op de grond ligt. De stam is overwoekerd door klimplanten.

Luuk gaat zitten.

'Waarom ben je teruggekomen?'

Verbouwereerd staart Luuk naar de glimmende klep waarachter de ogen schuilgaan. 'Waarom zou ik dat niet doen?'

'Jouw komst moet een reden hebben. Die wil ik graag weten.'

'Ik ben geïnteresseerd in geheimen.' Hij probeert zelfverzekerd over te komen.

'Geheimen?'

Luuk fronst zijn voorhoofd. 'Ja.'

'Je zoekt vrienden.'

Luuk is een ogenblik in verwarring gebracht. Die man kan echt gedachten lezen. 'Wie niet?'

'Je moet niet op zoek gaan, maar zelf een vriend zijn.'

'Voor wie?'

'Eerst voor jezelf. Dan voor een ander.'

'Heeft u vrienden?'

'Soms.'

'Vrienden heb je toch voor altijd?'

'Ze zijn er op de momenten dat je het beiden wilt.'

Luuk perst zijn lippen op elkaar. 'Wat is uw geheim?'

De buschauffeur lacht zachtjes. Een hand strijkt over de vouw van zijn broek. Op een paar glansplekken bij de ellebogen na, ziet zijn uniform er onberispelijk uit. En dat na al die jaren...

Luuk staart naar de uitgerekte wolkenslierten in de blauwe lucht. Dan naar Ranger, die geduldig naast hem zit te wachten tot hij het sein krijgt om verder lopen.

De buschauffeur negeert zijn vraag. 'Wat is een vriend?'

'Iemand die je nooit in de steek laat, die voor je door het vuur gaat.'

'Dat is voor jou een vriend?'

'Ja.'

'Je stelt wel hoge eisen.'

'Logisch.'

De chauffeur schudt afkeurend zijn hoofd. 'Vrienden stellen geen eisen aan elkaar. Hoe heet je?'

'Luuk Verhoeff. En u?'

'Huub Groenewoud.'

Luuk weet dat hij zich een onverschillige houding heeft aangeleerd om te voorkomen dat hij gekwetst wordt. Niemand mag weten hoe onzeker hij is.

'Iemand die van je houdt, doe je geen pijn door te zijn wie je bent.'

'U geeft geheimzinnige antwoorden...'

'Als je goed luistert, begrijp je wat ik vertel.'

'Wat dan?' komt het schaapachtig uit Luuks mond.

'Denk eens na.'

Luuk slaakt een zucht en staat op. Ranger ook. 'Het zal wel aan mij liggen,' bromt hij geërgerd. 'Ik snap er niks van.'

'Zou het kunnen dat ik hier voor jou ben?'

'Daar kan ik geen antwoord op geven. Dat weet u zelf het beste.'

'Ontmoetingen zijn er nooit zomaar.'

Luuk glimlacht afwezig. Hij heeft geen zin om langer te blijven. 'Ik ga weg.' Hij slentert terug naar de greppel zonder achterom te kijken.

Hoofdstuk 25

VERRASSING

De naam Huub Groenewoud blijft in Luuks hoofd rondspoken. Huub Groenewoud... Waar en wanneer heeft hij die naam toch gehoord?

De buschauffeur heeft hij nooit eerder ontmoet. Dat weet hij zeker. Luuk heeft een goed geheugen wat gezichten betreft.

'Ooit zal ik het weten,' mompelt hij.

Ranger blaft instemmend.

'Je begrijpt niet eens wat ik zeg,' grinnikt Luuk.

Luuk stapt op zijn fiets en heeft opeens haast, zonder te weten waarom. In de verte ziet hij een grote auto met aanhanger naar links afbuigen, richting museum Tankstop.

Hij zou ook naar Van Zanten kunnen gaan. Zomaar, voor een praatje.

Luuk weet dat Ranger welkom is. Toch twijfelt hij. Zodra je bij mensen de deur platloopt, krijgen ze snel genoeg van je. Dat wil hij voorkomen.

Het is een prachtig gezicht om Ranger naast de fiets te zien meerennen.

'Niet te hard!' waarschuwt Luuk. 'Straks vliegen we!'

Luuk ziet dat de auto langzaam het museumterrein oprijdt.

Zou Van Zanten een motor uit zijn verzameling verkocht hebben?

Aah! Het stuur zwiept uit Luuks handen. Voordat hij kan remmen, duikt hij met fiets en al de berm in. In een reflex duwt hij zijn handen beschermend voor zijn gezicht voordat hij met een doffe klap over de fiets in het lange gras valt.

'Sukkel!' schreeuwt hij boos naar Ranger, die verbaasd naar zijn baasje kijkt.

Ranger blaft onrustig. Hij wil terug, de berm in.

Luuk grijpt de riem, die uit zijn hand is geschoten. 'Hier blijven!'

Ranger wil Luuk iets duidelijk maken.

'Ophouden,' snauwt Luuk en staart naar de schaafplek op zijn pols. Met zijn andere hand wrijft hij over zijn knie die hard tegen het fietsstuur is geknald. Mopperend zet Luuk zijn fiets rechtop. 'Je moet naast me blijven lopen en niet zomaar een andere kant opgaan.'

Ranger houdt zijn kop scheef en kijkt Luuk afwachtend aan.

Luuk zwaait zijn been over de stang. 'Kom! We gaan verder. Goed opletten en naast me blijven lopen.'

Ranger blijft staan. Hij zet zich schrap zodat Luuk wel moet afstappen.

'Wat heb je nu toch?' Luuk laat zijn fiets in het gras vallen en geeft de hond wat meer bewegingsruimte. Ranger gaat direct naar de slootkant en snuffelt tussen het gras.

'Wat heb je gevonden?' vraagt Luuk als hij ziet dat Ranger iets in zijn bek heeft. 'Wauw! Een portemonnee!' Luuk veegt er met een pluk gras het spuug vanaf. Hij ritst de portemonnee open en ziet een aantal geldbiljetten. Wel tweehonderd euro, schat Luuk.

'Goed zo!' zegt hij tegen Ranger.

Luuk inspecteert de andere vakjes van de portemonnee. Er zit een pinpas in en een rijbewijs. Hij haalt diep adem. Hij zou het geld eruit kunnen halen en de portemonnee in de sloot gooien. Hij aarzelt een ogenblik, dan schudt hij afkeurend zijn hoofd: eens een dief, altijd een dief.

'Je mag de portemonnee zelf naar het politiebureau brengen,' grijnst Luuk en klopt Ranger goedkeurend op zijn hals. Luuk diept een hondenkoekje uit zijn jaszak op. Dat heeft de hond wel verdiend. Trots houdt Ranger zijn kop omhoog.

Als ze naar Steindorp fietsen, kijkt Luuk nog eenmaal naar het museum. Er lopen mensen op het erf. De auto met aanhanger staat er nog steeds. Het is net zo'n auto als Sems vader heeft.

Het politiebureau van Steindorp ligt net buiten het centrum. Een beetje zenuwachtig duwt Luuk zijn fiets in het rek. Met Ranger naast zich stapt hij naar binnen.

'Hier, hou jij dit maar vast.' Luuk duwt de portemonnee in Rangers bek en loopt naar de dienstdoende agent achter de balie.

'Zeg het eens,' glimlacht de man in het lichtblauwe overhemd vriendelijk.

'Mijn hond heeft een portemonnee gevonden.'

De agent gaat staan en kijkt over de balie naar Ranger die triomfantelijk terugkijkt.

De agent knikt goedkeurend. 'Heb je gekeken of er nog iets in zat?'

'Een rijbewijs, bankpas en tweehonderd euro.'

'Daar kun je een heleboel hondenvoer voor kopen,' grapt de agent terwijl hij notities maakt.

'Of een nieuwe computer.'

'Daar heeft die hond niets aan. Hij is toch de vinder?'

Luuk knikt.

'Naam.' De agent wijst naar de hond die met de portemonnee tussen zijn kaken aandachtig naar de man kijkt.

'Ranger.'

De agent tikt de naam in op zijn toetsenbord.

Een sportief geklede man komt het politiebureau binnen en wandelt nietsvermoedend naar de balie. Op enige afstand van

138

Luuk en Ranger blijft hij staan. Dan zakt zijn mond verbluft open.

'Wat een toeval!' roept hij uit. 'Mijn portemonnee!'

Luuk draait zich verbaasd om.

'Tenminste...' De man onderbreekt zichzelf en kijkt van de agent naar Luuk. 'Ik kom hier om aangifte te doen. Vanmiddag heb ik mijn portemonnee verloren.'

'Deze ziet er net zo uit als die van u?'

'Zwart leder, met rits en drukknoop. Hetzelfde formaat.'

'Waar bent u hem kwijtgeraakt?'

'Wist ik dat maar.'

De agent kijkt Luuk aan. 'Waar heb jij hem gevonden?'

'Buiten Steindorp in een berm.'

De wandelaar knikt instemmend. 'Ik ben via een landweggetje naar Steindorp gelopen. Daar bestelde ik een lunch in een restaurant. Toen ik wilde afrekenen ontdekte ik dat ik mijn portemonnee verloren had. Dit moet mijn portemonnee zijn. Mag ik kijken? Mijn rijbewijs en bankpas zitten er in. Ik kan bewijzen dat die van mij is. Vanochtend heb ik geld gepind.'

'We zullen controleren of het dezelfde portemonnee is.' De agent steekt zijn hand uit naar Ranger in de veronderstelling de portemonnee aangereikt te zullen krijgen.

Luuk probeert de portemonnee uit Rangers bek te trekken, maar Ranger is niet van plan los te laten.

'Hij heeft door dat we allemaal geïnteresseerd zijn in zijn vondst,' glimlacht de agent.

'Laat los!' probeert Luuk. 'Los!'

Maar Ranger geeft geen krimp.

Luuk slaakt een zucht, plant zijn handen in de zij en kijkt de anderen met een wanhopig glimlachje aan. Ondertussen hebben zich een aantal agenten rondom Ranger verzameld.

'We moeten een list bedenken.' De wandelaar laat de rugzak

van zijn schouders glijden en haalt er een zakje uit waarin een paar goedbelegde boterhammen zitten. 'Waar houdt hij het meest van: pindakaas, salami of jam?'

'Salami,' gokt Luuk.

De wandelaar geeft Luuk de boterham.

'Ruilen?' vraagt Luuk onbeholpen en trekt nog eens hard aan de portemonnee. Ranger gromt. Luuk laat hem aan de boterham ruiken. 'Deze boterham smaakt beter dan een portemonnee.' Luuk houdt de boterham dichtbij Rangers neus. Er gaan een paar tellen voorbij. Dan laat Ranger plotseling de portemonnee los en hapt in de boterham.

De wandelaar grist de portemonnee van de grond en legt die op de balie neer. Binnen een minuut is duidelijk dat hij de rechtmatige eigenaar is. De foto op het rijbewijs zegt voldoende. De man is opgelucht dat het geld er nog in zit.

'Ik vind het geweldig dat je direct naar het politiebureau bent gegaan. Ik bedoel: je had het geld ook in je eigen zak kunnen steken.'

Luuk slaat zijn ogen naar beneden. 'Weet ik,' mompelt hij en maakt aanstalten naar buiten te gaan.

'Jullie verdienen een beloning.'

'Dat hoeft niet,' antwoordt Luuk verlegen.

'Ik heb nog twee boterhammen over. Eentje met kaas en de andere met...'

Luuk en de agenten schieten in de lach.

Als Luuk even later met Ranger naar De Herberg fietst, zit er in zijn broekzak een biljet van tien euro en heeft Ranger twee boterhammen weggewerkt.

Luuk gaat via het steegje naar de achterkant van De Herberg. Als hij ziet dat zijn moeder niet in de keuken is, bindt hij Ranger aan een paal vast.

Marijke Verhoeff komt met een vol dienblad uit het restaurant

aanlopen. 'Ik heb weinig tijd,' zegt ze gehaast. 'Heb je tegen Sem en Rosemijn gezegd dat je Ranger morgen niet ophaalt?'
Luuk knikt met tegenzin.
'Zal ik je de verrassing vertellen?'

Hoofdstuk 26

COMPLOT!

Luuk is perplex. 'Wow! Dit is een droomwens,' fluistert hij.
Marijke knikt ontroerd als ze Luuks stralende ogen ziet. Het komt niet vaak voor dat Luuk blij is. 'Ik had het plannetje al eerder bedacht, maar door een misverstand is het toen niet doorgegaan.'
'Is dit mijn verjaardagscadeau?'
De afwashulp pakt het volle dienblad uit Marijkes handen en neemt het mee naar de spoelbak.
'Nee,' antwoordt Marijke.
'Nee?'
'Nou ja… Het heeft wel iets met jouw verjaardag te maken. Het is al heel lang een wens van jou om in een grote vrachtwagen te mogen rijden. Kees Smit kwam een paar dagen geleden weer spullen afleveren bij De Herberg en stelde voor om jou zaterdag mee te nemen.'
'Echt gaaf! Als het kon, zou ik een gat in de lucht springen.'
'Probeer het eens!' Marijke buigt snel naar voren en geeft haar zoon een kus op zijn wang.
Luuk deinst achteruit en veegt bruusk met de rug van zijn hand over de wang. 'Niet doen.'
'Stel je niet aan.' Marijke pakt een ander dienblad.
'Ik wil dat kleffe gedoe niet!'
'Ik ben blij! Daarom gaf ik je spontaan een kus. Waarom doe je zo moeilijk?'
'Doe ik moeilijk?' herhaalt hij dreigend.

'Ja. Moeilijk voor jezelf.'

'Ik heb nergens last van.'

Marijke zucht. Ze geeft Tarkan het briefje waarop een bestelling genoteerd is. 'Morgenochtend rond negenen word je opgehaald. Het wordt een lange dag. Kees Smit moet een grote route rijden.'

Luuk schraapt zijn keel. 'Krijg ik nog iets anders voor mijn verjaardag?'

'Nieuwsgierig?' plaagt ze voorzichtig. 'Ja, natuurlijk krijg je nog iets. Maar dat is niet voor jou. Sorry. Meer kan ik niet vertellen. Het cadeau krijg jij, maar het is niet voor jou.'

'Wat vaag! Daar heb ik dus niets aan,' moppert Luuk.

'Nog twee nachtjes slapen, dan weet je meer. Zondag begrijp je alles.'

Otto, de chef-kok geeft een van zijn leerlingen instructies.

'Wegwezen,' knipoogt Marijke. 'Het is hier spitsuur.'

Luuk hoort Ranger blaffen. Is er iets aan de hand? Via de bijkeuken rent hij naar de binnenplaats.

'Is daar iemand?' roept een vrouw paniekerig. Ze staat aan de andere kant van de schutting.

Luuk zegt tegen Ranger dat hij stil moet zijn.

'Zou je die hond weg willen halen?'

'U kunt gewoon doorlopen. Hij zit vast.'

Een vrouw met lang krullend haar en een zwierige rok stapt aarzelend de binnenplaats op.

'Ik sta hier al vijf minuten.' Ze werpt een nerveuze blik naar Ranger. 'Niemand hoorde mij roepen. Ik heb een afspraak met de eigenaresse, Maaike Mulder.'

'Ze woont boven. U kunt beter via de zijdeur gaan.'

'Die roodgeverfde deur in de steeg?'

Luuk knikt. Ondertussen maakt hij Ranger los.

De vrouw haast zich naar de steeg. 'Sorry,' roept ze als de

schuttingdeur met een klap voor Luuks neus dichtvalt. 'Ik heb het niet zo op honden.'

'Dat dacht ik al,' mompelt Luuk.

Wanneer hij met Ranger over het marktplein fietst, verschijnt zijn moeder op het terras van de herberg. Ze wenkt hem.

'Waar ga je heen?'

Luuk haalt zijn schouders op. 'Ik zie wel. Over een uurtje breng ik Ranger weer terug.'

'Ik wil niet dat je met de hond bij ons naar binnen gaat,' waarschuwt Marijke met opgeheven vinger.

'Dat hoef je niet steeds te zeggen. Ik weet dat Ranger niet welkom is.' Boos fietst hij verder.

Marijke kijkt haar zoon grinnikend na.

Luuk besluit om nog even met Ranger in het park te spelen.

Op het grasveld rond de vijver is het druk. Ouders en kinderen voeren de eenden brood. Luuk wandelt naar de andere kant, richting het oude haventje. Een klein bootje, de *Titanic*, ligt aan de steiger en beweegt zachtjes heen en weer tussen het riet.

Nog niet zo lang geleden zijn Rosemijn en Sem met die roeiboot stiekem naar de overkant gevaren om een bezoek te brengen aan de leegstaande oude villa.*

'Zullen we de rivier op gaan met de *Titanic*?' stelt Luuk voor.

Ranger houdt zijn pas in en blaft.

'O, je wil liever een andere keer. Dat is ook goed.' Luuk woelt vluchtig met zijn vingers door Rangers vacht.

Via een smal paadje langs de oever lopen ze naar het kleine haventje.

Zou Ranger van zwemmen houden?

Hij is al drie keer het water ingedoken. De eerste keer toen hij zag dat Wendy in de sloot viel, de tweede keer toen hij de man

---

*Lees deel 1 Ranger – *Wat nu?*

achtervolgde die een doos met muizen wilde loslaten in De Herberg, en de derde keer wist hij op spectaculaire wijze een in de sloot gevallen jong poesje naar de oever te brengen.

Luuk loopt naar het eind van de steiger en gaat zitten. Zijn benen bungelen over de rand. Ranger ploft naast hem neer en kijkt geïnteresseerd rond.

'Zwemmen?'

Ranger kijkt hem niet-begrijpend aan.

Luuk staat op om een tak te zoeken en gooit die in het water. Ranger bedenkt zich geen seconde. Hij zet af, zweeft een seconde boven het water en komt dan met een harde plons in het water terecht. Langzaam zwemt hij tegen de stroming in. Minuten later staat hij trots en buiten adem op de steiger met de stok in zijn bek.

'Oké!' lacht Luuk. 'Dit spelletje bevalt je dus wel. Let op!' Luuk slingert de stok opnieuw in het water. Verder dan de vorige keer.

Het zou leuk zijn om samen met Ranger in de rivier te zwemmen. Dat zou volgend jaar in de zomer best kunnen. Nu is het herfst en is het water te koud.

Luuks gedachten stokken abrupt. Volgend jaar? Dan is Ranger terug bij zijn baas. Luuk zal hem missen. Eigenlijk heb je niks aan vriendschap, denkt hij opnieuw. Je raakt toch altijd alles weer kwijt.

'Kon je maar altijd bij ons blijven,' fluistert hij.

Luuk staart naar de wolken hoog in de lucht en probeert aan andere dingen te denken. Wat voor cadeau zou zijn moeder voor hem gekocht hebben? Hij is nog nooit eerder zo nieuwsgierig geweest als hij nu is: *Een cadeau voor hem, dat niet voor hem is...*

Vage uitspraken maken hem kriegelig. Dat is ook de reden dat die Groenewoud hem op zijn zenuwen werkte. Wanneer je een vraag stelde, gaf hij een antwoord dat nog meer vragen opriep.

Wat er met die buschauffeur aan de hand is, zal hij nooit begrijpen. Maar de ontmoeting zal hij niet snel vergeten. Raadsels horen bij het leven...

Het is al over zessen als Luuk de tuin van de familie Kramer binnenstapt. Hij opent de deur. 'Hallo!'

Er is niemand.

Zal hij op Sem wachten?

Hij loopt met Ranger naar het huis en gluurt door het keukenraam. Mevrouw Kramer staat bij het fornuis. Hij tikt zachtjes op het raam. Verbaasd draait ze zich om en loopt naar de achterdeur.

'Is Sem thuis?'

Ze schudt haar hoofd en kijkt met een schuine blik op haar horloge. 'Breng Ranger maar naar de schuur. Ik hou wel een oogje in het zeil tot Sem thuis is.'

Luuk loopt naar de schuur, maar bedenkt zich dan. Hij wil vragen of mevrouw Kramer een grotere waterbak voor Ranger heeft. Dat had hij gisteren al willen doen.

Aarzelend stapt hij de bijkeuken binnen en hoort dat mevrouw Kramer aan het telefoneren is. Luuk wacht bij de deur tot ze klaar is.

'Blijf op de uitkijk staan tot jullie zeker weten dat hij weg is...'

Luuk verstrakt. Waar heeft ze het over? Met grote passen loopt hij naar de schuur. Zijn lijf voelt loodzwaar. Alles is tegen hem. Er is een complot!

Hij neemt afscheid van Ranger en fietst met tranen in zijn ogen de straat uit. Luuk ziet niet dat er een auto met aanhanger in de zijstraat staat te wachten. Als Luuk de hoek om fietst, rijdt de auto langzaam richting de dokterspraktijk.

Hoofdstuk 27

JALOERS

De volgende ochtend is Luuk vroeg wakker. De opwinding giert door zijn lijf. Eindelijk gaat een wens van hem in vervulling en mag hij meerijden in een vrachtwagen!

Hij is ongedurig en loopt telkens naar het raam. 'Hij is er nog niet.'

'Wachten duurt lang,' beaamt zijn moeder. Ze heeft een lunchpakket naast zijn jas gelegd.

'Ken jij de familie Groenewoud?' vraagt Luuk opeens.

Marijke trekt haar wenkbrauwen vragend omhoog. 'Ik heb die naam wel eens gehoord, maar ik ken niemand die zo heet.'

'Volgens het telefoonboek woont er een familie met die naam in Steindorp. Ik heb gisteren een paar keer geprobeerd te bellen, maar er wordt niet opgenomen. Ze wonen op de Beemdenweg.'

'Dat is aan de andere kant van Steindorp. Je kunt erheen fietsen.'

'Dat heb ik gisteravond gedaan. Er was niemand thuis. Volgens mij wonen er oudere mensen. De meubels zagen er ouderwets uit.'

'Wat moet jij eigenlijk met die familie Groenewoud?'

'Dat leg ik nog wel eens uit.' Luuk schakelt op een ander onderwerp over. 'Misschien mag Ranger mee.'

'In de vrachtwagen?'

'Waarom niet? Volgens mij is er genoeg ruimte.'

'Ik denk niet dat Kees Smit een hond mee wil nemen in zijn vrachtwagen.'

'Voor één keer?' Luuk loopt naar de telefoon.

'Ga je hem bellen?'

'Als het mag, maar dan moet ik daarna Ranger snel ophalen.'

'Nee, Luuk, dit kun je niet zomaar even regelen. Vandaag zorgen de andere twee voor Ranger. Jij gaat een dagje uit, zonder hond. Waarom wil je die hond overal mee naartoe nemen?'

'Domme vraag.' Luuk maakt een schamper geluid. 'Ranger is mijn vriend.'

'Ik heb al vaker gezegd...'

'Verpest mijn dag nou niet met dat stomme gepreek,' valt Luuk zijn moeder in de rede.

Marijke praat onverstoorbaar verder. 'Die hond is niet van jullie. Als de eigenaar terugkomt, moet Ranger terug.'

Luuk loopt de kamer uit en slaat de deur achter zich dicht. 'Dat hoef je niet elke dag te vertellen!'

Luuk heeft geen zin om samen met zijn moeder op de vrachtwagen-chauffeur te wachten. Hij wandelt de tuin in. Het gras komt tot zijn enkels, het moet nodig gemaaid worden! Meestal doet Luuk dat. Zijn moeder heeft er te weinig tijd voor. Straks in de winter groeit het gras nauwelijks. Dan hoeft hij zijn vrije zaterdagmiddag niet aan vervelende tuinklussen op te offeren.

Fronsend loopt Luuk naar de achterkant van de smalle, stenen schuur en kijkt naar een paar krijtstrepen op de muur. Wie heeft die getekend? Luuk ziet dat het niet door een kind is gedaan. Hij doet een paar stappen naar achteren en bestudeert de muur. Het lijkt alsof iemand iets heeft willen opmeten.

Luuk kijkt zoekend rond in de hoop nog iets te ontdekken. Zijn aandacht wordt naar de grond getrokken. Het gras is vertrapt. Dat is merkwaardig!

Luuk tilt zijn hoofd op en ziet Marijke voor het raam staan. Ze glimlacht en komt naar buiten.

'Wat is er?' vraagt ze.

Luuk wijst naar de krijtstrepen op de muur. 'Wie is hier geweest?'

Marijke lacht verbaasd. 'Je doet alsof er een misdrijf is gepleegd.'

'Wie heeft dat gedaan?'

'Opa.'

Luuk kijkt haar met grote ogen van ongeloof aan. 'Opa is hier helemaal niet geweest.'

'Jawel, vorige week.'

'Onmogelijk.' Luuk schudt zijn hoofd. Die krijtstrepen zijn gisteren op de muur gezet. Hij klemt zijn kaken bedachtzaam op elkaar. Zijn moeder verzwijgt iets.

In de verte klinkt het geluid van een zware dieselmotor.

'Daar is de vrachtwagen!' lacht Marijke.

'Waarom heeft opa dat gedaan?'

'Ik wil achter de schuur een nieuwe waslijn. Hij heeft uitgemeten hoe hij die het beste aan de muur kan bevestigen.'

Luuk knijpt zijn ogen samen tot smalle spleetjes. Dit gelooft hij niet.

Marijke staat bij de achterdeur. 'Kom nou!' wenkt ze.

Luuk gaat naar binnen. Hij grist zijn jas en lunchpakket van tafel en gaat de voordeur uit.

Kees Smit zit in de hoge cabine achter het stuur op Luuk te wachten.

Het is een gezette man, met een kalende plek op zijn kruin en een tatoeage op zijn rechteronderarm. Hij zwaait.

Luuk steekt schuchter zijn arm op en loopt naar de vrachtwagen. Zijn hart bonkt bijna zijn borstkast uit.

Vrachtwagens zijn gigantisch groot! Hij voelt zich net een klein jochie dat in zijn eentje een superreus moet verwelkomen.

Kees Smit hangt half uit het raam. 'Heb je er zin in?'

'Een heleboel!'

'Wat denk je, kun je zelf in de cabine klimmen of heb je een keukentrapje nodig?'

Luuk trekt een brede grijns. Hij kent Kees Smit niet echt. Hij heeft hem een paar keer gezien bij De Herberg, als Kees aan het lossen was. Ze hebben nooit gepraat, al heeft Luuk vaak op het punt gestaan een gesprek met hem aan te knopen. Hij durfde het niet, terwijl hij zich juist enorm voor vrachtwagens interesseert. Op het moment dat hij alle moed bij elkaar geschraapt had, werd de angst dat de chauffeur geen tijd zou hebben voor babbels met onnozele jongetjes groter en groter. Dus hield hij zich op de achtergrond en bewonderde hij deze man die met zo'n groot gevaarte over de Nederlandse wegen reed.

'Leuke verrassing hè?'

'Zeker weten!' Luuk loopt langs de vrachtwagen en is onder de indruk van het blinkende chroom.

'Heeft jouw moeder bedacht.'

'Weet ik.'

Marijke loopt achter haar zoon aan. 'Fijne dag, Luuk,' fluistert ze zacht bij zijn oor.

Luuk draait zijn hoofd weg.

'Geen zoen?'

'Opzouten.'

'Luuk...?'

'Wat is er nu weer?' Luuk zet zijn voet op de treeplank en trekt zich omhoog. De geur van diesel dringt zijn neusgaten binnen. Mmm, heerlijk.

'Als je morgen het andere cadeau uitgepakt hebt, krijg ik dan wel een zoen van je?'

Luuk zegt niets. Hij heeft al zijn aandacht nodig om in de hoge cabine te klauteren. Breed lachend ploft hij op de passagierstoel en steekt zijn duim op.

'Je krijgt er vanzelf handigheid in,' zegt Smit. 'Volgens mij vroeg jouw moeder iets.'

'O.' Luuk krijgt een kleur. Zag Smit dat zijn moeder hem een zoen wilde geven? Hij trekt de zware deur dicht en steekt zijn hoofd uit het raam. 'Wat zei je?'

Marijke maakt met twee handen tegelijk een afwerend gebaar. 'Ik vroeg om een zoen.'

'Never nooit niet,' mompelt Luuk en hij vraagt zich af hoe hij haar duidelijk kan maken dat ze moet ophouden met dat kinderachtige gedoe. Jongens van twaalf zoenen hun moeder niet meer. Dat ze dát nooit in die opvoedkundige tijdschriften heeft gelezen!

Met een onverschillig blik in zijn ogen steekt hij een hand op en leunt achterover in de comfortabele stoel. Ondertussen kijkt hij naar het indrukwekkende dashboard.

Kees Smit schakelt naar de eerste versnelling en laat de koppeling langzaam opkomen. De motor begint te brullen.

Luuk glimlacht als hij het vermogen van de motor voelt. Machtig!

'Het is geen sprinter!' lacht Smit. 'Het duurt even voordat ik op gang ben. Helaas ben ik nooit als eerste weg wanneer het verkeerslicht op groen springt. Maar als mijn truck eenmaal rijdt, dan is hij niet meer te stoppen.'

Als ze door het centrum van Steindorp rijden, schuift Luuk naar voren en houdt alles goed in de gaten. Hij hoopt dat zijn klasgenoten die hem in de cabine zien zitten, en stinkend jaloers zullen zijn.

Op de parkeerplaats van een grote doe-het-zelfzaak loopt een aangelijnde herdershond die veel op Ranger lijkt. Verhip, het ís Ranger! Wat zijn Rosemijn, haar vader en Sem van plan?

Een steek van jaloezie gaat door hem heen.

Kees Smit praat tegen Luuk, maar hij hoort niets. Een vervelend gevoel van jaloezie heeft zich van hem meester gemaakt. Hij hoort er niet bij!

Hoofdstuk 28

MIDDERNACHTFEEST

Die zaterdagavond wordt Luuk met de vrachtwagen thuisge-bracht. Het was een heerlijke dag.

Luuk is verbaasd als hij zijn moeder in de deuropening ziet ver-schijnen. Op zaterdagavond werkt ze meestal tot tien uur. Is ze voor hem eerder thuisgekomen? Wat een eer! Ze zal zich wel schuldig voelen omdat ze op zijn verjaardag moest werken.

'Je moeder heeft je gemist,' grapt Kees.

'Als kiespijn!' Luuk kijkt stuurs voor zich uit.

'Als kiespijn?' buldert Smit van het lachen. 'Kom op! Die meid is dol op je. Jij bent haar alles.'

Luuk zwijgt twee seconden. Dan geeft hij Smit een hand en bedankt hem voor de fijne dag. 'Als het mag, zou ik best nog wel eens mee willen.'

'Ik werk niet vaak op zaterdag,' antwoordt Smit. 'Maar mocht ik daarvoor gevraagd worden dan zal ik aan je denken.'

'In de herfstvakantie?' oppert Luuk.

'Je hoort van me.' Smit knijpt Luuks hand bijna fijn en geeft hem een klap op zijn schouder.

Met tegenzin laat Luuk zich uit de vrachtwagen glijden.

'Hoe was het?' roept Marijke terwijl ze hem tegemoet loopt.

Luuk heeft geen zin om uitgebreid verslag te doen. Waarom zou hij? Morgen gaat ze naar haar werk en zal zijn verjaardag als een nietszeggende dag voorbij gaan. Als zij alles op alles had gezet, dan zou haar baas zeker een vervanger hebben gezocht.

'Ze wil weten hoe het vandaag is geweest,' zegt Kees.

'Hartstikke gaaf!'

'Aan het eind van de rit heeft Luuk mij geholpen om de truck schoon te spuiten in de garage van ons vervoersbedrijf. Daarna hebben we ons tegoed gedaan aan een enorme hoeveelheid ijs in de Sorbet Salon,' vertelt Kees, die het sneu voor Luuks moeder vindt dat haar zoon niets wil vertellen.

Natuurlijk is deze 'truckdag' voor Luuk een onvergetelijke dag geworden. Maar de glans ging er vanaf op het moment dat hij Rosemijn, Sem en meneer Rijnsburg op de parkeerplaats bij die bouwmarkt zag lopen. Met de beste wil van de wereld kan hij nog steeds niet bedenken wat ze daar te zoeken hadden.

'Heb je foto's gemaakt?' vraagt Marijke.

''Een paar.'

'Luuk!' Kees stapt uit de vrachtwagen en houdt een klein cadeautje omhoog. 'Ik zou het bijna vergeten. Dit is voor jou.'

Verbouwereerd neemt Luuk het cadeautje in ontvangst. Hij draait het rond in zijn hand. Groot is het niet, maar wel zwaar. 'Dankjewel.'

'Dat krijg je omdat je morgen twaalf wordt. Dat zou een feestelijke dag moeten zijn, maar ik hoorde dat het anders uitpakt. Daarom heb ik dit voor je gekocht. Als pleister op de wonde! Ik hoop dat je het kunt gebruiken.'

Luuk maakt het cadeautje open en kijkt verwonderd naar het hangslot. Wat moet hij daarmee?

Kees ziet zijn verbazing. 'Ik dacht: een jongen van twaalf kan vast wel een hangslot gebruiken.'

'Altijd handig,' beaamt Luuk en bedankt hem nog een keer voor het cadeau.

Ze praten nog even na. Bij het afscheid verzekert Luuk hem dat het een superdag was.

Marijke bedankt hem wel tien keer. Ze vindt het fantastisch dat Luuk mee mocht.

Langzaam rijdt Kees de straat uit. Luuk en Marijke zwaaien tot hij om de hoek is verdwenen.

Luuk houdt het slot omhoog. 'Wat een origineel cadeau. Wat moet ik hier nou mee? Het is heel aardig van hem, maar ik heb er niks aan.'

'Luuk...'

'Ja ja, ik weet wat je wil zeggen.' Hij loopt door de keuken rechtstreeks naar de achterdeur om het slot naar de schuur te brengen.

'Luuk! Ik heb de schuur al op slot gedaan. Dat slot kun je morgen wel opruimen. Ik wil graag horen wat je vandaag meegemaakt hebt. Zal ik een pot thee zetten?'

Luuk haalt zijn schouders op.

'Kom mee. Het is de laatste avond dat je elf jaar bent. Ik heb iets lekkers gekocht.'

Ze wil niet dat ik naar buiten ga, schiet het door Luuk heen.

Na een korte aarzeling volgt hij haar naar de keuken.

Marijke vult de waterkoker, pakt kopjes en een theezakje.

Luuk loopt nieuwsgierig naar de kamer. Helaas, er hangen geen slingers! De zoveelste domper. 'Vergeten?' vraagt hij.

'Ik had geen tijd. Ik doe het morgenochtend,' belooft ze. 'Dan ben je echt jarig.'

Tijdens het theedrinken komt Luuk los en vertelt aan één stuk door wat hij die dag op de vrachtwagen heeft meegemaakt.

'Je hebt genoten,' mompelt Marijke tevreden.

'Ja, maar ik miste Ranger.'

'Ga je morgen naar hem toe?'

'Nee.'

'Waarom niet?'

'Omdat ik dan jarig ben.'

'Er komt geen visite! Dan kun je toch gewoon naar Sem gaan?'

'No way.'

'O Luuk, waarom ben je toch zo koppig?'

'Ze wilden met Ranger komen, maar dan moest ik hen uitnodigen voor mijn verjaardag. Ik moet niks! Ik bepaal zelf wie er op mijn verjaardag komt.'

'Sem en Rosemijn zijn vrienden van je! Het is toch gezellig als ze op jouw verjaardag komen?'

'Mwah.'

'Kom op, wees eens eerlijk.'

'Jij gaat toch werken... Het maakt mij niets uit.'

'Ik doe het niet voor de lol,' valt Marijke uit. 'Het kan gewoon even niet anders geregeld worden. Ze kunnen De Herberg niet sluiten omdat jij jarig bent!'

Luuk zwijgt. Zijn maag doet pijn.

'Ik heb het verprutst, hè?' vraagt Marijke zacht.

'Helemaal!

'Ik had het me ook anders voorgesteld. Waarom nodig je geen klasgenoten uit?'

'Die lui boeien me niet.'

Er valt een onbedoelde stilte.

'Je krijgt een bijzonder cadeau.'

'Het is toch niet voor mij?'

Marijke lacht geheimzinnig. 'Morgen begrijp je het.'

Luuk is moe van alle indrukken die hij deze dag heeft opgedaan. Hij rekt zich uit. 'Ik ga naar bed.'

Als hij in de badkamer is, hoort hij zijn moeder zachtjes praten. Met wie zit ze aan de telefoon? Hij sluipt naar de trap en probeert flarden van het gesprek op te vangen. Ze praat op gedempte toon. Dat is vreemd. Hij spitst zijn oren, maar verstaat geen woord en besluit naar bed te gaan.

Hij ligt een tijdje op zijn rug naar het gestommel beneden in huis te luisteren en voelt een vage opwinding. Ze hangt slingers op! Dat maakt het toch nog een beetje feestelijk.

Een paar minuten later valt hij als een blok in slaap en merkt niet wat er rondom het huis gebeurt.

'Luuk,' fluistert een stem bij zijn oor. 'Word eens wakker.'

Luuk draait zich kreunend. 'Wat is er...?'

Een warme adem strijkt over zijn gezicht. Dan voelt hij natte lik op zijn wang.

Wat is dat?

Geschrokken doet hij het licht aan en gaat rechtop zitten.

'Ranger!' Verbaasd kijkt hij naar zijn moeder die met de hond naast zijn bed zit. 'Wat doen jullie hier?'

Marijke buigt zich over hem heen en geeft hem een zoen. 'Gefeliciteerd!'

Ranger blaft uitgelaten.

Luuk knippert met zijn ogen. Ziet hij dat goed? Heeft Ranger een slinger om zijn hals en een puntmuts op zijn kop? 'Het is midden in de nacht!' mompelt hij verbouwereerd.

'Klopt! Het Middernachtfeest gaat beginnen,' lacht Marijke.

Luuk laat zich achterover op het kussen vallen en duwt zijn handen voor zijn gezicht. 'Droom ik?'

'Nee hoor, je bent wakker en je bent twaalf jaar geworden!'

Luuk haalt zijn handen voor zijn ogen weg en begint onbedaarlijk te lachen als hij naar Ranger kijkt. 'Je ziet er niet uit. Wie heeft jou zo toegetakeld?'

'Dat is vanwege het Middernachtfeest.'

Luuk grinnikt als hij ziet dat zijn moeder ook een feesthoedje op heeft. 'Jij ook al?'

Hoofdstuk 29

VRIENDEN!

'Lang zal hij leven! Lang zal hij leven! Lang zal hij leven in de gloria! In de gloria! In de gloria!'
'Wie zijn dat?' vraagt Luuk.
Marijke loopt met Ranger naar de deur en legt haar hand op de deurkruk. 'Drie keer raden.'
'Sem en Rosemijn?'
'In één keer goed!' lacht Marijke. 'Maar er zijn meer mensen die je willen feliciteren.' Marijke trekt de deur open en maakt een uitnodigend gebaar. 'Kom maar binnen!'
Met ogen zo groot al schoteltjes staart Luuk naar de mensen die luid zingend, versierd met slingers en feestmutsen, zijn kamer binnenlopen. Wendy staat glunderend tussen Sem en Rosemijn en zingt uit volle borst. Daarachter staan hun ouders, Nadeem, Otto, Patrick, oma, en meneer en mevrouw Bosman.[*]
'Verrassing!' juicht oma.
Luuk kan geen woord uitbrengen.
'Hieperdepiep... hoera!' brullen de gasten allemaal tegelijk.
Marijke maant hen lachend tot stilte. 'Sst. Voor je het weet staat de politie bij ons op de stoep wegens geluidsoverlast.'
'Hoe meer zielen, hoe meer vreugd!' roept Patrick.
Ranger begrijpt niet wat er gaande is. Iedereen praat, zingt en lacht. Dat maakt hem zenuwachtig. Wendy merkt dat en roept de hond. 'Reenzjer. Kom mij.'

---

[*]Lees: Deel 1 Ranger – *Wat nu?*

Ranger hoort haar stem boven het tumult uit en gaat naast haar op de grond liggen.

Luuk zit op de rand van het bed en wordt door iedereen uitbundig gefeliciteerd. Hij heeft nog steeds niets gezegd, maar de verlegen glimlach op zijn gezicht vertelt genoeg.

'Ik weet niet wat ik zeggen moet.' Zijn ogen zoeken zijn moeder. 'Ik vind het lief dat je dit voor mij georganiseerd hebt.'

'Ik heb het niet bedacht.' Marijke duwt Sem en Rosemijn naar voren. 'Dit zijn de boosdoeners!'

'Applaus voor de organisatie!' roept Patrick.

Rosemijn gaat voor Luuk staan. 'Aangenaam. Ik ben mede-initiatiefneemster van het Middernachtfeest ter ere van jouw verjaardag.'

'En ik ben de andere initiatiefnemer,' grijnst Sem.

Luuk steekt zijn beide duimen omhoog. 'Leuk bedacht!'

Rosemijn trekt een geheimzinnig gezicht. 'Je denkt toch niet dat dit alles is?'

Sem haalt een opgevouwen papier uit zijn broekzak. 'We hebben een programma samengesteld. Om 0.00 uur zal de jarige in zijn slaapkamer toegezongen worden door de genodigden. Na de felicitaties zal hij gevraagd worden zijn pyjama te verwisselen voor gewone kleding...' leest Sem voor.

'Gaan we weg?'

'Ja,' antwoorden Sem en Rosemijn tegelijk.

'Midden in de nacht?'

'Je krijgt eerst een groot cadeau,' vertelt Marijke.

Luuk trekt een grimas. 'Maar dat is toch niet voor mij?'

'Klopt.'

Luuk is vreselijk nieuwsgierig.

'Geachte gasten. Wij verzoeken u vriendelijk de slaapkamer van de twaalfjarige Luuk te verlaten, zodat hij zich rustig en zonder pottenkijkers kan omkleden. Beneden wordt u een hapje en

een drankje aangeboden ter ere van het feestvarken. Om 00.20 uur zal het cadeau in bijzijn van u allen aangeboden worden.'
Druk pratend stommelt iedereen de trap af.
Ranger mag bij Luuk op de kamer blijven.
'Nou?' Marijke staat in de deuropening en kijkt hem afwachtend aan. 'Is dit een verassing of niet.'
'Te gek. Midden in de nacht een feest met een heleboel mensen én Ranger!'
'Allemaal door Sem en Rosemijn bedacht.'
'Waarom zo'n groot feest?' mompelt Luuk.
'Denk maar eens na.' Marijke trekt de deur dicht. 'Misschien heeft het iets met vriendschap te maken?'
Luuk staart verbouwereerd voor zich uit. Is dit het bewijs dat Sem en Rosemijn hem wilden geven?
'Schiet je op?' roept Marijke vanaf de trap.
Luuk kijkt Ranger aan en legt zijn hoofd op de warme kop van de hond. Zo blijft hij even zitten om alles op een rijtje te zetten.
'Eigenlijk snap ik er niks van,' mompelt hij.
De boosheid die hij de laatste dagen voelde omdat ze iets in hun schild voerden, is onterecht geweest. Ze waren bezig met de voorbereidingen van het Middernachtfeest. Daarom scheepten Sem en Rosemijn hem af met smoesjes wanneer ze ergens naartoe moesten.
Het is bijna niet te geloven dat ze dit voor hem hebben gedaan, terwijl hij steeds chagrijnig reageerde omdat hij dacht dat ze tegen hem waren!
Luuk hoort buiten een vreemd geluid en trekt het gordijn open. Er is niets te zien.
Wat een bizarre nacht! Ranger loopt in zijn kamer rond terwijl dat van zijn moeder niet mag. Hij knijpt in zijn eigen arm. 'Het is toch wel echt waar?'
Luuk trekt zijn pyjama uit, propt die onder zijn hoofdkussen en

pakt uit de kast schone kleren. In een mum van tijd is hij omgekleed. Ranger drentelt achter hem aan. De spanning groeit met de seconde. Wat zou het cadeau zijn?

Luuk haalt een kam door zijn haar en knipoogt goedkeurend naar zichzelf in de spiegel. 'Ik ben klaar voor het feest. Ga je mee, Ranger?'

Als het tweetal de woonkamer binnenstapt, beginnen de gasten opnieuw te zingen. Luuk luistert met een brede glimlach en ziet dat de kamer prachtig versierd is met slingers, vlaggetjes en ballonnen.

Marijke en Nadeem lopen rond met schalen met grote taartpunten erop.

'Eigenhandig door mij gebakken!' schept Otto op.

'Het smaakt voortreffelijk!' complimenteert Sems moeder.

Wendy deelt haar gebakje stiekem met Ranger.

'Stilte graag!' roept Sem luid door de kamer. Binnen twee tellen is het muisstil. 'Het grote moment is aangebroken. Wij willen Luuk een bijzonder cadeau aanbieden. Ben je er klaar voor, Luuk?'

'Helemaal!'

'Oké, we gaan naar buiten. Een vriendelijk verzoek; denk aan de buren. Jullie moeten zachtjes praten.'

Rosemijn roept Ranger en gaat als eerste naar buiten. De rest volgt.

Luuk is perplex! Tien minuten geleden was het nog pikkedonker in de tuin. Nu staan er een heleboel brandende fakkels. Wie heeft die aangestoken?

'Volg de fakkels maar,' fluistert Marijke. 'Het zijn er precies twaalf.

Luuk heeft geen idee wat hem te wachten staat. Terwijl hij nerveus met Rosemijn en Sem de tuin in loopt, wijkt Ranger niet van zijn zijde.

'Dit is jouw cadeau,' zegt Sem.

Rosemijn drukt hem een brandende fakkel in de hand en trekt Luuk naar de achterkant van de schuur.

Verbaasd staart hij naar de grote hondenren met het grote hok. Van Zanten staat ernaast.

'Beste Luuk,' begint Van Zanten. 'Van harte gefeliciteerd met je twaalfde verjaardag. Ik vind het heel bijzonder dat ik uitgenodigd ben voor dit Middernachtfeest. Dit is ons oude hok dat bijna niet gebruikt is. Dankzij Sem en Rosemijn en een paar behulpzame vaders hebben we dit hier opgebouwd, zodat Ranger bij jou kan logeren. Het idee is bedacht door Sem en Rosemijn. Ik hoorde dat jij een bewijs nodig had van hun vriendschap. Zij zijn net zo dol op Ranger als jij, maar om te bewijzen dat ze jouw vrienden zijn, mag Ranger hier de komende weken doorbrengen...'

'Bij mij?'

'We weten hoe graag je bij Ranger wilt zijn,' mompelt Sem.

'Wat moet ik nu zeggen?'

'Geloof je nu dat we vrienden zijn?' vraagt Sem zachtjes.

Luuk knikt en veegt de tranen van zijn wangen.

'Voor eens en voor altijd?' Rosemijn kijkt hem plagend aan.

'Voor eens en voor altijd!' fluistert Luuk schor.

'Als het goed is heb je een hangslot gekregen,' zegt Van Zanten. 'Daarmee kun je de ren afsluiten.'

Luuks mond zakt open van verbazing. Opeens valt alles op zijn plek.

'Morgen komt er nog een bijzondere verrassing,' verklapt Marijke. 'Daar mag ik nu nog niets over vertellen.'

Luuk staart naar de grond. 'Willen jullie mij nog wel als vriend?' vraagt hij onzeker.

'Never nooit!' antwoorden Sem en Rosemijn tegelijk.

Hoofdstuk 30

NOOIT

Het duurt even voordat het tot Luuk doordringt dat Ranger bij hem mag blijven totdat Ferdinand Visser, de eigenaar, uit het buitenland terugkomt. De datum waarop hij precies weer thuiskomt staat nog niet definitief vast. Het kan dus nog wel een paar weken of maanden duren.

'Er is één voorwaarde,' begint Rosemijn met opgestoken vinger. 'Wij willen Ranger ook zien.'

'Logisch,' vindt Luuk.

'Het lijkt ons handiger dat jij een paar keer per week naar Villa Ranger komt.'

Luuk lacht zijn tanden bloot. Elke dag na schooltijd door de stad naar Sems huis wandelen. Elke dag samen met Ranger! Bestaat er iets mooiers?

'Deal?' vraagt Sem als Luuks antwoord uitblijft.

Luuk slaat tegen Sems omhooggestoken hand. 'Deal!'

'Niet boos meer omdat we stiekem achter jouw rug om allerlei dingen deden?' giechelt Rosemijn.

'Welnee! Alles is vergeven en vergeten!'

'Ik vond het vreselijk om te zeggen dat ik zondag moest werken,' zucht Marijke.

'Ik geloofde het echt.'

'Dat vond ik het ergste.' Marijke strijkt vluchtig met haar hand over zijn hoofd. 'Het spijt me. Jij wilde niemand uitnodigen en toen Sem en Rosemijn met dat plan kwamen, moest ik wel meewerken.'

'We hebben heel wat moeite moeten doen om jou te ontlopen,' vertelt Rosemijn. 'Toen we bij Van Zanten waren om te vragen of we dat hondenhok mochten lenen, kwam jij plotseling door het weiland naar hem toe. Je zag ons ook bij De Herberg. Daar hebben we met je moeder gesproken.'

'Toen we het hok hadden afgebroken en de lading op de aanhanger bij ons in de garage zouden zetten, dook je in onze tuin op,' gaat Sem verder. 'Mijn moeder waarschuwde ons. We hebben een tijdje in een zijstraat moeten wachten tot jij opgehoepeld was.'

Lachend vertellen Sem en Rosemijn hoe de laatste dagen verlopen zijn.

'Ik voelde me behoorlijk in de steek gelaten,' vertrouwt Luuk hen toe.

Ze vragen zich af wat Ranger ervan zal vinden om de nacht buiten in een hok door te brengen.

'Als hij maar niet gaat blaffen,' zegt Marijke. 'Dat kunnen we de buurt niet aandoen.'

'Dan ga ik bij hem in het hok slapen of Ranger mag bij mij onder het bed liggen.'

Marijke geeft haar zoon een plagende duw. 'Malloot.'

In de kamer liggen nog een heleboel andere cadeautjes, die Luuk eerst mag uitpakken.

Na een uurtje gaat iedereen naar huis. Wendy is in slaap gevallen en merkt niet dat ze naar de auto wordt gedragen. Sem en Rosemijn mogen blijven slapen. Op zolder liggen drie luchtbedden klaar. 'Dan kan het feest morgenochtend gewoon doorgaan,' knipoogt Marijke.

Ranger wordt naar zijn hok gebracht. Dat is een moeilijk moment. Hij kijkt de drie kinderen niet-begrijpend aan. Rosemijn stelt voor om een fakkel te laten branden, maar dat vindt Sem onzin.

'Hij krijgt geen leeslampje en geen goed verende matras in zijn hok. Ranger is en blijft een hond.'

'Maar wel de allerliefste van de hele wereld,' zegt Luuk.

Om drie uur vallen ze allemaal als een blok in slaap.

De volgende ochtend worden ze verwend met een heerlijk ontbijt: warme broodjes met honing, een grote taartpunt, een gekookt ei en jus d'orange. Daar moeten ze wel om lachen, maar volgens Luuks moeder hoort dat bij dit vriendenfeest.

Dan gaat Marijke de verrassing ophalen. Na een paar spannende minuten komt ze met een envelop terug.

'Voor de lieve oppassers van Ranger,' leest ze. 'Deze brief is van Fien Visser.'

Rosemijn vindt het leuk dat ze hen vanuit het ziekenhuis schrijft. 'Ze kent ons niet eens,' mompelt Luuk, die de brief mag voorlezen omdat hij jarig is.

Beste Luuk, Rosemijn en Sem,

Mijn buren, meneer en mevrouw Bosman, houden mij op de hoogte hoe het met Ranger gaat. Jullie zorgen goed voor de hond van mijn zoon. Ik hoorde dat een van jullie twaalf jaar is geworden. Wat een feest!

Ik kreeg een geweldig idee. Wij hebben een zomerhuisje op Vlieland. Ik ben namelijk een eilander. Het huisje staat in de achtertuin van mijn ouderlijk huis waar nu mijn dochter woont. Wat zouden jullie ervan vinden om samen met Ranger een paar dagen in dat huisje te logeren tijdens de herfstvakantie? Laat mij zo snel mogelijk weten of het doorgaat. Tot gauw!

Vriendelijke groeten,

Fien Visser

'Wow!' juichen Rosemijn, Sem en Luuk.

Marijke stopt lachend haar vingers in de oren. 'Ik wil eerst nadenken of ik toestemming geef. Ik vind het nogal wat; drie kinderen en een hond.'

Luuk straalt. 'Samen met Ranger op vakantie. Ik ben nog nooit op een eiland geweest. Niet te lang nadenken, mam. Ik wil heel graag...'

Ze spreken af dat de ouders een korte bedenktijd krijgen en dat Fien Visser dan verteld zal worden of ze in haar zomerhuisje mogen logeren.

Wanneer ze later met Ranger in de tuin spelen, vertelt Luuk dat hij zich schaamt omdat hij zo weinig vertrouwen in hen heeft gehad. 'Jullie hebben dit allemaal voor mij geregeld, terwijl we een goede plek voor Ranger hebben. Wat gebeurt er met Villa Ranger?'

'Dat blijft ons clubhuis,' zegt Sem.

Rosemijn stelt voor om naar het bos te gaan.

Luuk aarzelt. 'Ik hoef die buschauffeur niet te zien. Het is een aardige man, maar er klopt iets niet.'

Ze wandelen via een andere weg naar het bos, om de plaats waar de tent stond te mijden.

Onderweg bespreken ze een heleboel.

Luuk geeft een harde brul als Ranger ervandoor gaat.

'Hij zal wel een konijn hebben gezien,' roept Sem hijgend. 'Je kunt hem beter aan de lijn houden.'

Luuk staat tussen de bomen en kijkt alle kanten op. Waar is hij gebleven? 'Ranger!'

Ze horen hem blaffen. Hij is niet ver weg. Ze rennen met z'n drieën naar de plek. Daar staat Ranger op het mos met een oude tas in zijn bek.

'Hij heeft weer iets gevonden!' lacht Rosemijn.

Luuk herkent de tas en is met stomheid geslagen. 'Krijg nou wat!'

Rosemijn trekt de tas uit Rangers bek en kijkt Luuk verbaasd aan.

'Dit is de rugzak van de buschauffeur. Die heb ik in de tent zien liggen.'

Ze speuren de omgeving af. Ze zien nergens een tent.

Luuk keert de tas binnenstebuiten. Er valt een paspoort op de grond. Hij veegt het zand er van af en slaat het open. 'Dit is de buschauffeur! Huub Groenewoud.'

Sem en Rosemijn gaan naast hem staan en kijken naar de oude zwart-witfoto.

'Dit paspoort is al jaren niet meer geldig,' zegt Sem.

Er glijdt een briefje uit het paspoort. Luuk pakt het vergeelde papiertje en vouwt het open.

Dit kan geen toeval zijn!

Vriendschap is nooit een vergissing
Je leert wat vertrouwen is, wie je eigenlijk bent
Je voegt iets toe aan het leven van de ander
en groeit in geborgenheid
Huub Groenewoud, Beemdenweg 118, Steindorp

Er verschijnt een glimlach op Luuks gezicht. 'We gaan de tas terugbrengen,' zegt hij. Het papier met de handgeschreven tekst wil hij bewaren. Het heeft alles te maken met de geheimzinnige ontmoetingen.

Een uur later staan ze voor de deur van een klein huisje. Een bejaarde dame doet open.

Luuk houdt de tas omhoog. 'We hebben de tas van uw man in het bos gevonden.'

'Hoe kan dat nou?' stamelt ze. 'Dat is onmogelijk. Die tas heb ik jaren geleden weggegooid.' Ze fronst haar voorhoofd. 'Hoe weten jullie dat het Huubs oude tas is?'

'Zijn paspoort zat erin.' Luuk geeft het aan de vrouw.

Ze bladert er doorheen en schudt verbaasd haar hoofd. Dan tilt ze haar hoofd op en kijkt de kinderen aan. 'Mijn man is twintig jaar geleden overleden.'

Het bloed trekt weg uit Luuks gezicht.

'Is hij dood?' Rosemijns is stomverbaasd. Ze kijkt schichtig opzij, naar Luuk.

'Zullen we weggaan?' fluistert Luuk.

'Hoe kan dat nou?' vraagt Rosemijn. 'Jij hebt toch met die man gesproken?'

'Wie zegt dat?' snauwt hij.

'Doe nu niet of je nergens vanaf weet.'

'Ik wil er nooit meer over nadenken,' mompelt Luuk als hij met Ranger het tuinpad afloopt. 'Never nooit niet. We gaan plannen maken voor onze vakantie op Vlieland. Want dat móet doorgaan!'